D1445221

LA COURSE

Édition : Élizabeth Paré
Design graphique : François Daxhelet
Infographie : Chantal Landry
Révision : Sylvie Massariol
Correction : Joëlle Bouchard

Données de catalogage disponibles auprès de Bibliothèque
et Archives nationales du Québec

DISTRIBUTEURS EXCLUSIFS :

Pour le Canada et les États-Unis :
MESSAGERIES ADP inc.*
Téléphone : 450-640-1237
Internet : www.messageries-adp.com
* filiale du Groupe Sogides inc.,
  filiale de Québecor Média inc.

Pour la France et les autres pays :
INTERFORUM editis
Téléphone : 33 (0) 1 49 59 11 56/91
Service commandes France Métropolitaine
Téléphone : 33 (0) 2 38 32 71 00
Internet : www.interforum.fr
Service commandes Export – DOM-TOM
Internet : www.interforum.fr
Courriel : cdes-export@interforum.fr

Pour la Suisse :
INTERFORUM editis SUISSE
Téléphone : 41 (0) 26 460 80 60
Internet : www.interforumsuisse.ch
Courriel : office@interforumsuisse.ch
Distributeur : OLF S.A.
Commandes :
Téléphone : 41 (0) 26 467 53 33
Internet : www.olf.ch
Courriel : information@olf.ch

Pour la Belgique et le Luxembourg :
INTERFORUM BENELUX S.A.
Téléphone : 32 (0) 10 42 03 20
Internet : www.interforum.be
Courriel : info@interforum.be

04-17

Imprimé au Canada

Dépôt légal : 2017
Bibliothèque et Archives nationales du Québec

ISBN 978-2-89754-052-4

Gouvernement du Québec – Programme de crédit d'impôt pour
l'édition de livres – Gestion SODEC –
www.sodec.gouv.qc.ca

L'Éditeur bénéficie du soutien de la Société de développement
des entreprises culturelles du Québec pour son programme
d'édition.

 Conseil des Arts   Canada Council
du Canada   for the Arts

Nous remercions le Conseil des Arts du Canada de l'aide accordée
à notre programme de publication.

Financé par le gouvernement du Canada
Funded by the Government of Canada | Canadä

Nous reconnaissons l'aide financière du gouvernement du Canada par l'entremise du Fonds du livre du Canada pour nos activités
d'édition.

Carine Paquin + Freg

LA COURSE

petit homme
Une société de Québecor Média

Message important aux lecteurs

C e livre est le deuxième d'une série. La lecture de ce deuxième tome avant le premier peut être dommageable pour la santé du lecteur. Cette situation peut en effet causer de la frustration, qui engendre de la colère, qui peut mener à des tremblements puis à des vertiges, ce qui risque d'entraîner des nausées suivies de vomissements et ensuite de la déshydratation. Une déshydratation aiguë peut provoquer le coma ou, pire encore, la mort. Considérez-vous comme prévenu !

Carine Paquin, alias l'auteure !

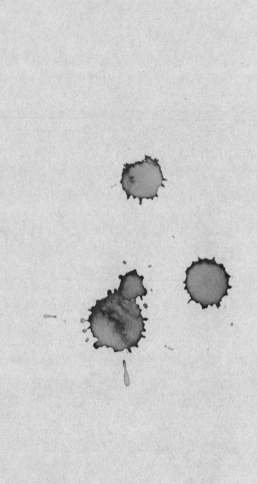

Ce que tu as raté si tu n'as pas lu le tome 1 (drôle d'idée quand même !)

Je m'appelle Léo. Il y a quelques jours, j'étais un enfant ordinaire qui rêvait de finir l'école primaire. Toutefois, la cloche qui a annoncé la fin de l'année m'a aussi annoncé la fin de mon ancienne vie. Aujourd'hui, je suis à la recherche de mon père disparu. J'ai toujours pensé qu'il était un agent d'immeuble bien occupé, mais, dernièrement, j'ai appris qu'il menait une double vie. Agent d'immeuble était sa couverture car, en fait, mon père est un détective privé. Je ne sais pas pourquoi il a disparu, mais je sais qu'une de ses enquêtes non résolues me l'apprendra. Je chercherai sans relâche le moindre petit indice pouvant me conduire à lui ou m'informer sur ce qui lui est arrivé. Car maintenant, c'est moi, Léo P., le détective privé.

Jusqu'à ce jour, j'ai découvert que mon père conduisait probablement ses enquêtes gratuitement. Pourquoi ? Je ne sais pas encore. Dans ma dernière enquête, j'ai aussi fait la connaissance de Mme Labonté, qui se dit engagée dans les campagnes de financement pour des associations caritatives. Cette femme ne me semble pas nette. Je garderai un œil sur elle. Mais en attendant, il y a sur mon bureau (ou plutôt sur le bureau de mon père) toute une pile de dossiers d'enquête qui ne demandent pas mieux que de devenir des affaires classées !

RIEN D'INTÉRESSANT ICI. ALLONS VOIR À L'INTÉRIEUR.

MÊME SI ON SAIT TRÈS BIEN QU'IL S'AGIT D'UN RÈGLEMENT DE COMPTE DE LA BANDE À CAFARD. J'AURAIS DÛ ME DOUTER QU'IL NOUS MENAIT EN BATEAU.

OUAIS. QUAND IL A DIT QU'IL AVAIT QUELQU'UN À NOUS LIVRER... NOUS AURIONS DÛ SAVOIR QUE CE SERAIT DES CADAVRES...

OUAIS... COMME D'HABITUDE.

IL A NETTOYÉ TOUT L'ENTREPÔT ET Y A LAISSÉ SA MARQUE...

OUAIS... COMME D'HABITUDE. JE COMMENCE À EN AVOIR ASSEZ DE CETTE BANDE DE CRIMINELS QUI SE CROIENT TOUT PERMIS DANS LA VILLE.

MAIS POURQUOI NOUS AVOIR DONNÉ RENDEZ-VOUS SUR UNE SCÈNE DE CRIME? CE N'EST PAS L'HABITUDE DE CAFARD.

NORMALEMENT, IL MAGOUILLE EN CACHETTE ET NOUS LAISSE CHERCHER. QUELQUE CHOSE NOUS ÉCHAPPE, C'EST ÉVIDENT... MAIS QUOI?

CAFARD, LE PLAN A ÉCHOUÉ.

EXPLIQUE.

ROCCO ET PABLO DEVAIENT LE LIVRER À LA POLICE... MAIS ILS CUISENT EN ENFER.

JE N'EN AI RIEN À FAIRE D'EUX! ET LUI?

AH... LUI... NOUS NE SAVONS PAS.

COMMENT, VOUS NE SAVEZ PAS??

IL A DISPARU.

QU'EST-CE QUE TU RACONTES? VOUS DEVIEZ LE LIVRER AUX FLICS, QU'ON SE DÉBARRASSE DE LUI UNE FOIS POUR TOUTES.

TOUT LE MONDE LE CHERCHE. MAIS ON N'A AUCUN INDICE.

ÉCOUTE-MOI BIEN... JE VEUX CET HOMME! MORT OU VIVANT.

ET SI TU NE LE TROUVES PAS... PRENDS SA FAMILLE... IL REVIENDRA.

Dossier

Client : Gaston Bauchard

(illegible)	→ /29.60·(...)

(handwritten illegible notes)

(illegible)	*(illegible)*

Mission : Démasquer le plus grand fraudeur de
paris virtuels de F1 et l'empêcher de truquer les paris.

(handwritten illegible notes)

2 juillet
Je ne savais pas
que j'avais besoin
de lunettes !

TOP SECRET

— Le lundi 2 juillet,
10 jours après la disparition de mon père —

D ebout dans le bureau de mon père, je sens que ma gorge se transforme en petite paille. Je ne respire plus très bien. J'aurais peut-être préféré une enquête de chat perdu plutôt que de fraude virtuelle. Bijou aurait sûrement aimé avoir un ami chat !

Des paris en ligne ! Je ne m'y connais absolument pas en paris. Je ne m'y connais pas plus en F1, d'ailleurs ! C'est de la course automobile, ça, il me semble… Ce n'est pas illégal de parier ? Et d'abord, qui c'est, ce Gaston Bauchard ? Je n'y comprends absolument rien. Je suis fatigué. J'essaie de noter le nom sur un bout de papier, mais le soleil qui entre par la fenêtre m'aveugle.

Je prends les lunettes de soleil de mon père que j'ai trouvées dans un de ses tiroirs et je les porte à mon nez… Ce qui se passe est complètement inattendu ! Je rêve ou quoi ? Je retire les lunettes, puis je les remets dans mon visage.

Salut, Fiston !

Je crois que tu pourrais avoir besoin de ces lunettes.

Papa

Je veux vite les mettre à l'essai. Je les glisse dans ma poche, j'installe Bijou dans mon sac à dos et je pars[1].

En route, je passe devant la maison de mon cousin Antoine. Je décide de m'y arrêter. J'entre (je ne cogne jamais ici, c'est comme chez moi).

Mon oncle et ma tante sont assis à la table. Le repas semble terminé. Antoine est sur le canapé, en train de lire une BD (comme d'habitude !).

— Salut tout le monde !

Ils me répondent tous en chœur :

— Salut Léo !

Je mets mes lunettes.

1. **Freg :** — Wow ! Trop malades, ces lunettes, j'en veux une paire !
Carine : — Salut, Freg ! Contente de te voir ici ! Je me suis sentie seule dans le tome 1.

Incroyable ! Avec ces lunettes, plus personne n'aura de secret pour moi... Plus personne, surtout cette Mme Labonté !

Ma tante Annita me sort de mes pensées :

— As-tu soupé, Léo ?

Je retire mes lunettes.

— Non, pas encore, ma tante.

Elle s'empresse de me servir une assiette. Pendant ce temps, je questionne mon cousin :

— Qu'est-ce que tu lis ?

— *Trajectoire,* tome 1, une BD de la collection « Plein gaz ».

Je regarde la BD. Ça m'a tout l'air d'une BD de course automobile... Hasard ou coup bas du destin ?

— Tu t'intéresses à la course automobile, toi ?

Mon oncle Stéphane rigole :

— Il s'intéresse à tout ce qui se lit !

— Au moins, moi, je sais lire ! lui répond Antoine.

Mon oncle éclate de rire. Stéphane est enseignant en éducation physique. Nous savons tous qu'il sait lire, enfin je l'espère ! Il se lève, l'air malicieux.

— Eh bien, si je ne sais pas lire, une chose est sûre : je sais me battre !

Il saute sur mon cousin, qui crie faussement de douleur. Annita les regarde en rigolant.

— Fais attention à ton vieux père, Antoine ! dit-elle à son fils en pouffant de rire.

En réalité, personne n'est de taille pour se mesurer à mon oncle Stéphane. Je m'éclipse de la bagarre perdue d'avance pour Antoine et je vais manger.

Tout à coup, je me rappelle que j'ai une grande nouvelle à leur apprendre. Entre deux bouchées, je l'annonce :

— J'ai été accepté dans l'équipe de soccer !

Tout le monde saute de joie. Mon oncle vient me serrer dans ses bras en me tapant vigoureusement dans le dos. Un vrai câlin d'homme.

Je lance à la blague :

— Vous avez l'air surpris... Vous ne pensiez pas que j'étais capable de faire partie de l'équipe ?

Nous rions tous de bon cœur. Une ambiance de joie s'installe dans la maison et ça me fait drôlement du bien.

Je mange mon souper rapidement. Après, pendant que mon oncle et ma tante commencent la vaisselle, je retourne au salon avec Antoine.

Alors que je m'assois sur le canapé, le petit bout de papier que j'avais dans les poches tombe à côté de mon cousin. Antoine s'empresse de le prendre pour le lire.

Mon cousin me nargue :

— C'est le numéro d'une fille ?

— Redonne-le-moi !

— Ah non ! On dirait bien que, toi aussi, tu t'intéresses à la course automobile...

Inquiet, je lui demande :

— Pourquoi tu dis ça ?

Il me répond avec un air d'évidence :

— Euh... Gaston Bauchard...

Mon ignorance est palpable, alors Antoine ajoute :

— Le président de la Formula One Administration, la F1 Léo !! La course automobile !! Vroum ! Vroum !

Je change rapidement d'attitude pour faire comme si je savais exactement de quoi il parlait.

— Gaston Bauchard ! Oui, oui ! Excuse-moi, je pensais à autre chose.

— Encore la tête dans un ballon de soccer, le cousin !

Je « ris ». Si on pouvait arrêter de parler de ma mission, je me sentirais beaucoup mieux. Stéphane vient nous rejoindre. Il s'assoit dans le fauteuil :

— Comme ça, Léo, tu t'intéresses à la F1 toi aussi. Est-ce que c'est nouveau, cette passion, les gars ?

Je réponds un oui nerveux qui veut dire non, ou un non nerveux qui veut dire oui, je ne sais plus trop. Je n'en peux plus de ces menteries. Je décide de rentrer chez moi sur-le-champ. Je salue toute la famille et je sors rapidement, soulagé.

***

En arrivant à la maison, je trouve des valises dans l'entrée. Inquiet, j'appelle :

— Maman ?

Ma mère descend l'escalier.

— Pourquoi il y a des valises ?

— Viens t'asseoir au salon, Léo.

Entre les dizaines de pas qui séparent le salon de l'entrée, j'ai le temps de me faire cent scénarios :

J'ai la tête qui tourne, je ferme les yeux et je m'enfonce dans le canapé.

Ma mère m'explique :

— J'ai besoin de repos. Ces derniers jours m'ont vraiment stressée ! Alors je pensais aller chez grand-maman quelque temps... Pas trop longtemps.

En trois secondes, je vois ma mission ici, et moi chez ma grand-mère à 800 kilomètres. Si je pars là-bas, je serai incapable de faire quoi que ce soit pour retrouver mon père. Sans que j'aie le temps de réfléchir, ma bouche dit :

— Non !

— Tu ne veux pas aller chez ta grand-mère ?

Ma mère se lève d'un bond, sans trop d'émotions, et, avec tout son sens de l'organisation, elle me rassure.

— Alors tu peux rester, me dit-elle. Tu iras chez Antoine. Je vais appeler Annita.

Déjà, elle a son téléphone en main et elle se rend dans la pièce d'à côté. Si je ne connaissais pas si bien ma mère, je croirais qu'elle n'a jamais eu l'intention de m'emmener avec elle.

Je monte à ma chambre pour préparer mes bagages. Je suis content d'aller chez mon oncle. Stéphane est comme un deuxième père pour moi.

***

Une fois ma valise refermée, il me reste un peu d'énergie pour me renseigner davantage sur Gaston Bauchard, la F1 et les paris en ligne.

Rapidement, je constate qu'il existe tout un monde pour les parieurs. Il y a des communautés, des groupes de discussion, des blogueurs, etc. Il y a beaucoup trop de sites ! Comment vais-je faire pour démêler tout ça ? Je dois trouver un fraudeur… mais comment ? Je ne sais même pas ce que ça mange en hiver, un fraudeur !

Je poursuis ma recherche et je comprends vite qu'un fraudeur, c'est un tricheur qui contourne les lois. Donc, je cherche une personne qui fait des paris sur Internet et qui arrive à tricher.

J'ai le vertige, je ne sais plus où regarder ni par où commencer. Une bonne nuit de sommeil, voilà ce qu'il me faut.

— **Le mardi 3 juillet,**
11 jours après la disparition —

M a mère me conduit très tôt chez mon cousin. Arrivée devant la maison, elle n'arrête même pas le moteur de la voiture. Je m'étonne :

— Tu n'entres pas deux minutes ?

— Non, je veux arriver tôt chez grand-maman.

Je la taquine :

— T'inquiète pas, tu ne peux pas rater l'avion…

— Pourquoi tu dis ça ? me répond-elle sèchement.

— C'est une blague, maman. Parce que tu ne prends pas l'avion cette fois et que tu y vas en voiture, c'est tout.

Je suis surpris de constater que ma mère va peut-être encore moins bien que ce que j'imaginais. Je sors de la voiture, sac à la main, ballon sous le bras et Bijou à mes côtés. Par la fenêtre de la portière, je conseille à ma mère :

— Repose-toi bien.

Elle m'envoie un bec soufflé de maman et elle part. Je me retourne, Stéphane m'attend sous le porche. Il porte son pyjama des Canadiens de Montréal, il tient sa tasse des Canadiens de Montréal et a le CH tatoué sur le cœur ! Mon oncle m'accueille avec sa traditionnelle, très virile et écrasante prise du cou.

— Salut, champion ! Tu viens passer des petites vacances chez tonton !

J'essaie de me libérer de son emprise. Bijou jappe. J'étouffe ces quelques mots :

— Sa-lut mmon on-cle.

Il me relâche ! Ouf !

— Tout le monde dort encore, pose ton sac, on va se faire des passes de soccer.

Il prend mon ballon sous mon bras et se met à courir sur le gazon. Mon oncle, c'est un grand amateur de sport. On dit souvent qu'Antoine ressemble à mon père et que moi, je suis plutôt semblable à Stéphane. Comme nous sommes nés la même journée, nos parents font des blagues en affirmant que nous avons probablement été échangés à l'hôpital. Mon père et son frère sont si proches que j'ai du mal à croire que papa ait pu lui cacher sa double vie.

Mais, j'y pense... Et si Stéphane savait quelque chose ? L'idée de passer quelque temps chez mon oncle me paraît de plus en plus intéressante !

Je rejoins Stéphane et, en deux temps trois mouvements, je le surprends en lui volant le ballon.

— Ce n'est pas une rondelle de hockey, ça, mon oncle !

Je cours plus loin. Comme je me retourne pour frapper le ballon dans sa direction, il apparaît à mes côtés et me le vole à son tour. Il rit.

— Tu as des croûtes à manger, Léo !

— C'est toi, la vieille croûte !

Je m'esclaffe.

Il court vers moi, prend mon bras et le plie dans mon dos. Je souffre et je ris en même temps. Bijou mort le bas de son pantalon en grognant.

— Dis « pardon mon oncle »…

— Jamais !

Il tire mon bras un peu plus fort… J'abandonne, j'ai trop mal ! Je crie :

— Pardon, pardon !

— Pardon qui ?

— Pardon mon onnnnncle ! AÏÏÏÏEEE !

Stéphane me relâche et nous rigolons. Je m'écrase au sol. Il s'assoit à mes côtés. Couché dans le gazon, je fais tourner mon ballon dans mes mains et je prends mon courage pour questionner mon oncle.

— Qu'est-ce qui est arrivé à mon père ?

Il arrache quelques brins de gazon et son regard devient triste.

— Je ne sais pas, Léo.

— Les gens ne disparaissent pas comme ça !

— Je sais.

— Il ne t'a rien dit ?

— Ça fait onze jours que je repasse en boucle toutes nos conversations. J'essaie de me rappeler s'il ne m'aurait pas mentionné quelque chose de spécial.

Je soupire. Parfois j'en veux à mon père de faire autant de peine aux gens qu'il aime.

— Tu sais, Léo, peu importe ce qui lui est arrivé, tout ce que je souhaite, c'est qu'il se porte bien.

— Oui, moi aussi.

Il me prend par le cou.

— Ton père ne t'a pas abandonné. Il n'aurait jamais fait ça.

— Tu crois qu'il est mort?

— Non, ça se sent, ces affaires-là.

Il me semble que mon oncle serait l'homme parfait pour m'aider. Nous gardons le silence pendant un long moment.

La porte de la maison s'ouvre. Ma tante apparaît.

— Tiens, Léo! Tu es déjà arrivé!

— Salut, ma tante!

Stéphane se lève, il embrasse Annita sur le front et entre dans la maison en précisant:

— Je vais préparer les crêpes.

Ma tante me demande:

— As-tu déjeuné, Léo?

Je réponds en souriant:

— Oui, mais j'ai toujours faim pour des crêpes, voyons!

Annita entre à son tour. Je me lève pour la suivre et, au même moment, je crois apercevoir une silhouette qui m'observe juste derrière la clôture dans la cour des voisins. J'ai l'étrange impression qu'il ne s'agit pas du voisin... Je m'avance pour vérifier... Entre deux planches de bois, je jurerais qu'un œil me regarde, puis la personne se sauve.

Je cours à la clôture, mais je n'arrive pas à voir à travers les fentes. J'escalade rapidement le gros arbre à côté de moi. Personne. Je scrute l'horizon... rien rien rien. Comme je m'apprête à sauter de l'autre côté de la clôture, j'entends mon nom. C'est ma tante qui ne sait pas où je suis passé.

Pendant un instant, je me demande si j'ai halluciné cet œil qui m'épiait. J'ai même cru une seconde que c'était mon père.

Je décide de rentrer chez mon cousin. J'espère que je ne suis pas en train de devenir fou.

Après avoir perdu l'appétit et mangé à peine quelques bouchées de crêpe, je monte avec Antoine dans sa chambre. Nous installons mon lit temporaire. Sur la table de chevet de mon cousin, j'aperçois une autre BD de course automobile et cela me rappelle que j'ai une mission à mener. Je questionne Antoine afin qu'il m'en apprenne un peu plus sur la F1.

— Comme ça, tu lis encore des BD de course !?

— Ouais, j'ai terminé l'autre hier soir, et là, je viens de commencer *Harry Octane* tome 1.

— Et tu en as appris beaucoup sur la F1 ?

— Oui, quand même. Dans la série, il y a de la fiction, mais aussi des BD historiques. Je découvre un univers plutôt fascinant.

— Et est-ce qu'on parle de paris dans tes BD ?

— De la ville de Paris ?

— Non pas de la ville ! De paris comme quand on parie. Parier sur une voiture !

— Ah ! Oui un peu, mais pourquoi tu veux savoir ça ?

— Bah ! Comme ça, ça doit être cool d'assister à une course et de parier sur une voiture !

— Ouais, c'est certain ! Sauf que la course automobile a bien changé. Ce n'est plus comme dans ma BD. Maintenant, beaucoup de personnes parient directement en ligne. Ils n'ont pas besoin de courir les quatre coins[2] du monde pour assister aux Grands Prix.

— Toi, tu les regardes sur le Net, les Grands Prix?

— Tous? Mais non, t'es malade! Je ne suis pas si fanatique de F1 que ça! Par contre, il y a des gens qui font des paris leur travail. Ils sont présents sur tous les forums. Eh, tu sais quoi?

— Non...

Si Antoine savait à quel point, moi, je ne sais rien! Je fais mon intéressé, mais ce n'est que pour l'encourager à parler. Cela me permet d'en apprendre rapidement davantage. C'est comme un cours accéléré.

— Je crois que la prochaine course pour le championnat du monde se déroulera bientôt. Ce sera en Allemagne, le Nürburgring. Je le sais parce qu'il y a une BD de la série qui s'appelle comme ça!

— En Allemagne!? C'est chaque fois dans un pays différent?

— Ouais, mais très souvent les mêmes : Australie, Malaisie, Bahreïn, Chine, Espagne, Monaco, Canada, Autriche, Grande-Bretagne, Allemagne, Hongrie, Belgique, Italie, Singapour, Japon, Russie, États-Unis, Mexique, Brésil et Abou Dhabi.

2. **Carine :** — Petite précision : la Terre est ronde et n'a pas de coins. Cette théorie a été avancée il y a plus de quatre millénaires ! Je te dis ça au cas où personne ne t'en aurait parlé et que tu aurais encore la crainte de partir en croisière, pensant que tu pourrais arriver au bout de la Terre et chuter dans l'Univers !
Freg : — Génial, je réserve mes billets !

Antoine, il est comme ça, même quand il dit qu'il n'est pas fanatique, il en connaît souvent plus que la plupart des gens normaux. Je ne savais même pas que Bahreïn et Abou Dabouti (quelque chose comme ça) existaient[3]!

Je propose à mon cousin :

— Tu aimerais parier à la prochaine course?

Antoine éclate de rire!

— J'aimerais bien, je pourrais devenir riche, mais je n'ai pas de carte de crédit.

Il réfléchit deux secondes et ajoute :

— Eh, mais il doit exister des sites gratuits où l'on ne parie que pour le plaisir!

À mon avis, les fraudeurs ne vont pas sur ces sites gratuits. Ça ne m'aidera donc pas pour la mission. Je lui fais une autre proposition :

— On pourrait aller consulter des sites payants avant et voir pour qui les grands gagnants parient. Après, nous irons sur les sites gratuits pour tester nos connaissances.

Mon cousin est amusé par l'idée. Il accepte.

Nous nous installons à son ordinateur, Bijou sur mes genoux.

— Wow! T'as vu ce gars-là! Il a fait un pari de 10 000 $.

— Malade!

Je suis surpris de constater à quel point les gens peuvent miser gros sur une voiture. Ça me donne l'impression d'aller jouer dans une cour qui n'est pas la mienne.

***

3. **Carine :** — Antoine dit n'importe quoi... Abou Dhabi n'est pas un pays, mais une ville des Émirats arabes unis. TOUT LE MONDE sait ça !
Freg : — Ah oui? Tout le monde!?

Après quelque temps sur le Net, je me mets à penser que cette enquête est perdue d'avance. Je commence à paniquer. On voit les montants mis en jeu, mais on ne connaît pas le nom des parieurs. C'est très peu d'information pour faire une enquête. Mon cousin et moi parions comme des amateurs, rien qui ne m'amène sur une piste sérieuse. C'est mon oncle qui finit par venir nous sortir de notre bulle :

— Ah ! Vous êtes là ! Vous n'allez quand même pas passer la journée devant l'ordinateur ! Les vacances, c'est fait pour aller jouer dehors ! Venez ! Nous allons faire un pique-nique.

Il repart. Antoine me regarde, un peu blasé. Je le taquine :

— Un pique-nique, comme c'est romantique !

Mon cousin éclate de rire et me donne des coups de poing amicaux sur l'épaule. Il a l'habitude de passer les vacances d'été avec ses parents puisqu'ils sont enseignants (ma tante Annita est ortho, mais c'est pareil…).

***

Pendant le pique-nique, mon oncle et ma tante décident de faire le point avec mon cousin. C'est Annita qui commence :

— Antoine, tu sais que tu ne pourras pas passer tout ton été sur le Net. C'est pourquoi nous avons décidé de faire un horaire pour le temps que tu passeras sur Internet et à jouer à des jeux vidéo.

J'avale ma carotte en me concentrant pour ne pas rire. Quelle « chance » a mon cousin d'avoir des parents profs ! Antoine se plaint :

— Mais mamannnnn... C'était Léo qui voulait voir quelque chose.

Pour la solidarité entre cousins, on repassera ! Mon oncle se transforme en enquêteur (c'est de famille, paraît-il !).

— Quel genre de choses, Léo ?

Cette situation devient vraiment trop gênante et pour être certain de ne pas entrer dans un sujet trop... gênant... j'avoue la vérité.

— Des paris, mais c'est gratuit, là !

— Des paris sur quoi ?

— Des paris de F1.

— Votre nouvelle passion ! Sérieusement, les gars, vous ne devriez pas jouer à faire des paris. Ce n'est pas un jeu très sain et ça peut même être dangereux.

Antoine se moque :

— Pfft ! Dangereux ? !

Mon cousin semble amusé. Moi, je m'auto-fais la respiration artificielle ! Ma tante précise :

— Mais oui, on peut développer une dépendance.

Ouf ! Personnellement, ce n'est pas ce que j'appelle dangereux ! Comme si Stéphane avait lu dans mes pensées, il ajoute :

— Le monde du jeu et des paris en ligne est infiltré par des criminels, ce n'est pas une cour d'école, ça, les gars !

Ça y est, je vais m'étouffer, ma carotte se retourne contre moi ! Antoine lève les yeux au ciel :

— Franchement, papa !

Je souhaiterais tellement être ailleurs en ce moment. Et comme si l'Univers m'avait entendu, au même instant, le vent se met à souffler et le ciel à s'assombrir. Nous rangeons rapidement nos choses, par crainte de nous faire prendre par la pluie, et nous rentrons.

***

Je passe le reste de la journée à essayer d'être tranquille pour étudier les sites de paris. Dangereux ou pas, j'ai une enquête à mener et mon père à sauver! Donc, personne ni aucune carotte ne pourra m'en empêcher!

Après le souper, je vais m'asseoir avec mon chien sur le balcon pour regarder la pluie tomber. Ça me relaxe. Mon oncle vient me rejoindre.

— Ça va, champion?

— Ouais, ça va...

Nous restons muets plusieurs minutes. Le silence est brisé par une grande confidence de mon oncle:

— Je ne t'ai pas tout dit sur ton père.

Il se gratte derrière la tête et, pendant ce court instant, mon cœur s'emballe. J'imagine déjà qu'il va m'annoncer qu'il sait où il est, qu'il est au courant de tout et qu'il va m'aider pour l'enquête. Il me dira qu'ils sont un duo comme Batman et Robin et que mon père va bien! Mes yeux sont remplis d'espoir, ils supplient Stéphane de continuer.

— Ce n'est pas la première fois qu'il disparaît.

Voilà une déclaration à laquelle je ne m'attendais absolument pas. Il s'assoit près de moi et poursuit très sérieusement.

— Ça faisait bien longtemps que ça ne lui était pas arrivé.

— Quoi? Je ne comprends pas! Il a déjà disparu?

— Oui, quelques fois.

— QUELQUES FOIS?

Est-ce que c'est normal que je sois complètement étonné, surpris, déstabilisé, figé, stupéfait, ahuri, abasourdi, ébranlé, bref, sous le choc?

— La première fois, il était dans la vingtaine. C'était avant qu'il rencontre ta mère. Tes grands-parents, nos parents, venaient tout juste de mourir. Il est parti sans me dire où il allait… je n'ai pas eu de ses nouvelles pendant deux ans.

— Deux ans!

Ça y est, je vais m'évanouir…

— À son retour, il m'a demandé de ne pas poser de questions. Ce que j'ai fait. Je me suis dit qu'il avait vécu son deuil à sa façon. Puis, il a rencontré ta mère. Après quelques mois de fréquentations, il a disparu de nouveau. Un peu moins longtemps. Quelques mois. Quand il est revenu, il l'a demandée en mariage. Nous avons tous pensé qu'il avait eu peur de l'engagement pour finalement réaliser qu'elle était la bonne, la femme de sa vie. Peu de temps après le mariage, surprise : ta mère était enceinte! Ce n'est pas un secret : tu n'étais pas un bébé planifié. Mais quand tu t'es installé dans le ventre de ta mère, son cœur s'est tout de suite épris de toi.

Mon oncle me regarde pour voir ma réaction. Je suis calme. Il poursuit :

— Lorsque ton père a appris la nouvelle, il a disparu de nouveau. Ta mère a tellement pleuré, elle est même déménagée chez sa mère. Nous n'avons plus eu de leurs nouvelles pendant plusieurs semaines. Puis, un jour, ils sont revenus ensemble. Le ventre de ta mère était devenu bien rond, ils s'étaient tout pardonné. Ils étaient prêts à t'accueillir dans leur vie. Dès le jour de ta naissance, ton père a promis de t'aimer et de te protéger, et il n'est plus jamais reparti... Jusqu'à dernièrement...

Ça me fait tout drôle d'entendre parler de mes parents avant ma naissance. C'est comme s'ils étaient d'autres personnes. Je ne sais pas depuis quand mon père est détective. Est-ce que c'est pour ça qu'il disparaissait? Je demande à mon oncle :

— Tu penses qu'il va revenir cette fois aussi?

Stéphane pose sa main sur mon épaule et se relève en me disant sur un ton plus ou moins convaincant :

— Il revient toujours.

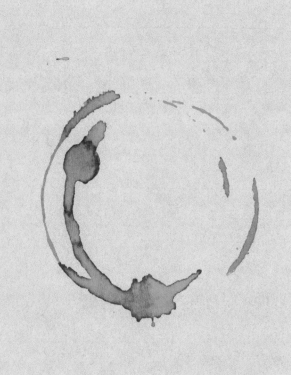

4 juillet
Me réconcilier
avec Sam.

TOP SECRET

— Le mercredi 4 juillet,
12 jours après la disparition —

C'est le matin, l'odeur du déjeuner me tire de mon sommeil. Je rejoins les autres en bas. Ils ont déjà commencé à manger. Entre deux bouchées plus ou moins bien mastiquées, mon oncle me demande :

— Est-ce que tu vas t'entraîner aujourd'hui ?

L'entraînement ! Ça m'était sorti de la tête ! D'ailleurs, ça me rappelle que je ne sais toujours pas si Sam a été accepté dans l'équipe. Mon association avec Laurie a créé un froid entre nous, même si Laurie ne m'intéresse pas. Déjà que je n'avais pas le temps de penser aux filles avant la disparition de mon père, maintenant, c'est catégorique : une copine, non merci !

J'aurais envie d'appeler Sam, mais j'ai peur qu'il soit encore fâché. Son dernier message me disait de choisir entre lui et Laurie. Comme Laurie m'a aidé dans ma première mission, je veux la garder comme amie car j'aurai peut-être de nouveau besoin d'elle. Mais je n'ai pas pour autant envie de perdre Sam. Je sors de ma tête pour répondre à mon oncle :

— Non, je n'ai pas d'entraînement.

— Pour performer dans la ligue Benjamin, tu dois t'entraîner même quand tu n'as pas d'entraînement officiel, mon homme. On ne devient pas champion en rêvant sa vie, on le devient en pratiquant et en travaillant.

On croirait entendre mon père !

— Oui, mon oncle, tu as raison (et je ne dis pas ça pour lui faire plaisir, je le pense vraiment).

Je mange rapidement mon déjeuner, puis j'enfourche mon vélo pour aller m'entraîner.

En route vers le parc, je passe devant la maison de Sam. Je ralentis pour voir s'il y est. Il n'y a personne. Je suis soulagé et déçu en même temps.

Je poursuis ma route et je passe devant le dépanneur. Ma gorge rapetisse. Il est là avec Laurie (double resserrement) et sa sœur. C'est la sœur de Laurie qui m'aperçoit la première.

— Hé, Léo ! crie-t-elle dans ma direction.

Je m'arrête.

— Salut, Marily !

— Ça fait longtemps qu'on ne t'a pas vu !

Bijou sort sa tête de mon sac.

— C'est ton chien ? poursuit-elle. Ahhh ! trop mignon !

— Avec tout ce qui se passe à la maison… je ne donne pas de nouvelles, je sais.

Laurie s'empresse d'ajouter :

— C'est sûr, c'est normal, voyons !

Pendant une fraction de seconde, je crois déceler de la compassion dans le regard de Sam. Il s'approche de moi.

Une tape dans la main vers le haut, une tape vers le bas et on cogne nos poings. Un petit geste pour l'homme, mais un grand geste pour Sam et moi[4]!

— Tu tiens le coup, buddy? me demande-t-il.

— Pas le choix! J'habite chez mon cousin pour un temps... Si jamais tu me cherches...

— Oh! Chanceux, l'école vient de finir et toi, tu habites avec des profs!

— Bah! Au moins, ils ne sont pas profs d'anglais!

Nous rions. Sam ajoute:

— Bien content de rentrer au secondaire! Six ans avec la même prof d'anglais, moi, j'appelle ça de la torture!

Tous les quatre, nous imitons notre prof: le doigt pointé vers le ciel, nous disons d'une voix nasillarde et stridente:

— *Hi class. It's time for your English class. For the next hour, you will speak in English, you will write in English and you will thiiiiiiiiiiiiiiiink in English!*

Nous éclatons de rire.

Je profite de l'ambiance décontractée pour poser la question qui me trotte dans la tête:

— As-tu eu ta réponse pour l'équipe?

— Non, on va sûrement avoir une lettre bientôt, j'imagine. Ils avaient dit: «Dans les prochains jours...»

Je reste figé. Est-ce que ça veut dire que Sam ne fera pas l'équipe? Sinon, l'entraîneur lui aurait apporté sa lettre chez lui, comme pour moi. Je ne sais plus quoi dire. Je ne veux pas être celui qui lui apprend la mauvaise

4. **Carine:** — Léo doit cette phrase célèbre à Neil Armstrong. Le 21 juillet 1969, alors qu'il posait, pour la première fois de l'histoire, son pied sur la Lune, l'astronaute s'est exclamé: «C'est un petit pas pour l'homme, mais un grand pas pour l'humanité.» Wow! Chaque jour, je me surprends moi-même, je suis trop cultivée, c'en est gênant.
Freg: — Quelle modestie quand même...

nouvelle. En plus, s'il n'est pas accepté dans l'équipe, il ne fréquentera pas la même école que moi. Je manque d'air. Tout ce que j'arrive à mentir, c'est :

— Ouais, sûrement qu'on va avoir une réponse bientôt.

Silence.

Sam pointe le doigt vers mon ballon de soccer et me demande :

— Tu vas au terrain t'entraîner ?

— Oui...

En temps normal, j'ajouterais : « Tu viens ? », mais ai-je besoin de préciser que les temps ne sont absolument pas normaux ? En fait, je suis à des années-lumière de l'été que je m'étais imaginé. Avant que je n'aie le temps de me trouver une raison bidon pour me défiler, Sam me lance :

— Je viens avec toi !

Wow ! Serait-ce le début de notre réconciliation ?

Laurie s'empresse d'ajouter :

— Nous, on va rentrer !

Sa sœur l'interrompt :

— Pourquoi ? On peut aller au terrain...

Visiblement mal à l'aise avec l'idée de se retrouver avec Sam et moi, Laurie argumente :

— Non, on va rentrer, maman a dit qu'on devait ranger notre chambre.

Par solidarité, Marily l'écoute, mais elle ne semble pas comprendre le malaise et l'engouement soudain de sa sœur pour le ménage.

***

Au terrain, j'ai de la difficulté à être moi-même. Je me sens mal pour Sam qui ne fera pas l'équipe. Je lui laisse des chances et je l'encourage. Rapidement, il me trouve trop bizarre.

— Depuis quand tu te prends pour ma mère, toi?

Debout, au milieu du terrain, je flanche. Je m'assois sur mon ballon et j'avoue :

— J'ai reçu ma lettre.

Le visage de Sam change d'un coup. Il semble avoir honte.

— Moi aussi.

Je n'y crois pas! Je vais faire l'équipe avec mon meilleur ami! Comme je viens pour crier de joie, je vois que Sam baisse la tête, l'air déçu.

— T'es pas content de faire l'équipe?

— Je suis sur la liste d'attente.

— Quoi?

— Ouais, genre si quelqu'un change d'idée ou meurt... je sais pas, là! C'est trop poche. Toi, t'as été pris, c'est sûr...

Je hoche la tête et j'essaie d'être optimiste.

— On ne sait jamais, peut-être que quelqu'un va se casser une jambe cet été!

Il donne un coup de pied amical sur ma jambe et ajoute en rigolant :

— Mais oui, peut-être!

— Ha ha! Très drôle. Tu vas venir à Charlemagne quand même? (Je connais déjà la réponse, mais je ne veux pas qu'il sache que Laurie me l'a dit.)

— Non, je vais à St-James.

— Pas vrai?

— Pas le choix, mes parents veulent que je fasse le cours d'anglais intensif si je ne suis pas dans le sport-études, et il n'y a pas l'anglais intensif à Charlemagne, juste sport, arts et le cours régulier.

— Trop poche.

— Tu dis !

— Je vais parler de toi à l'entraîneur.

— Merci, buddy.

Nous restons muets un long moment. Nous arrachons des brins d'herbe et nous regardons l'été passer. Une voix derrière nous nous sort de notre état contemplatif.

— Ouais, ça ne s'entraîne pas fort fort, ces gars-là ! C'est mon oncle.

— Allez ! Debout, les nains de jardin !

Stéphane a ce don de savoir motiver un homme ! Pendant près d'une heure, nous évacuons tous nos soucis et notre sueur. Nous nous arrêtons quand la mère de Sam vient le chercher pour le dîner. Nous sommes morts de fatigue, mais remplis d'énergie positive (comme dirait mon oncle) !

— On fait la course ? me demande mon oncle énergisé.

— Je suis à vélo et toi, à pied...

Je n'ai même pas le temps de terminer ma phrase que Stéphane part comme un *road runner* bip bip !

Bijou saute dans mon sac, j'enfourche mon vélo et je pédale à toute allure, je dépasse mon oncle et je tourne dans la ruelle pour prendre un raccourci. Alors que je file visage au vent, pieds sur les pédales, je crois encore apercevoir une silhouette connue. Je freine d'un coup sec et je reviens sur mes pas (ou sur mes roues) et je vois clairement quelqu'un courir et tourner le coin de rue. Papa ?

Je pédale le plus vite possible, mais la personne arrive à me semer en tournant au coin de la ruelle. Quand je tourne le coin à mon tour, tout ce que je trouve c'est un chandail à capuchon noir par terre. Étrange. Je lève la tête et qui est-ce que je ne vois pas ... Mme Labonté qui s'apprête à monter dans sa voiture et son chauffeur qui lui ouvre la porte. Doublement étrange ! Mais qu'est-ce que Mme Labonté vient faire dans le quartier de mon cousin ? Il n'y a rien d'intéressant pour elle ici. Le chauffeur referme la porte et la voiture s'éloigne.

Je décide d'aller frapper à la porte de la maison devant laquelle la voiture était stationnée. Pas de réponse. Je sonne, pas de réponse. Je jette un œil par la fenêtre et j'aperçois, sans l'ombre d'un doute, une silhouette qui se déplace rapidement. Mon cœur s'agite, je suis certain qu'il y a une personne dans la maison et qu'elle refuse d'ouvrir... pourquoi? Je frappe à nouveau.

— Papa? C'est toi???

La porte s'ouvre. Un homme avec un bébé dans les bras me regarde. Derrière lui, j'aperçois une femme en chaise roulante. L'intérieur de la maison est dénudé de décoration. Il n'y a que quelques vieux meubles qui brisent le blanc cassé des murs.

— Est-ce que je peux t'aider? Tu es perdu?

Je n'ai aucune idée de la façon de justifier ma présence. Je ne sais même pas moi-même ce que je fais là.

— Eeeeeeuh, j'ai vu une femme dans votre cour, j'ai... je....

— Oui c'est une amie... Il y a un problème?

Je mets mes lunettes.

— Hum … Non, pas de problème monsieur. Je m'excuse.

Je tourne les talons. Je suis perplexe. Cette situation me semble étrange. Je prends mon vélo et je rentre chez mon cousin, la tête un peu dans les nuages.

En entrant dans la cour, j'aperçois mon oncle sur le balcon.

— T'en as mis du temps !

Je monte l'escalier du balcon avec un air blasé.

— Bah… je t'ai laissé gagner…

Stéphane rit.

— Dis plutôt que tu t'es arrêté en chemin pour reprendre ton souffle !

— Nah… j'ai dormi, tu sais, comme le lièvre et la tortue.

— Wow ! Mon neveu qui me cite une fable de La Fontaine…

Sur cette diversion brillante de ma part, nous entrons dans la maison pour manger.

***

Après notre repas, mon cousin et moi allons dans sa chambre pour vérifier si nous sommes de bons parieurs.

Nous naviguons d'un site à l'autre. Je m'étonne encore devant la somme des montants gagnés.

— T'as vu ce gars-là ? Il vient d'empocher un million de dollars ! C'est impossible ! On ne peut pas devenir millionnaire avec un seul pari !

Antoine me répond avec tout son sens de la répartie :

— Je crois qu'il était millionnaire avant de parier.

— J'avoue ! Tu penses que c'est vrai ce que ton père a dit, que ce sont les criminels qui dirigent les paris ?

— Je ne sais pas, c'est clair qu'ils sont riches, eux. S'ils parient plus que tout le monde, ils gagnent plus que tout le monde, j'imagine.

Sur cette piste lancée par Antoine, je décide de noter les noms de ceux qui ont gagné plus de 25 000 $ dans les anciennes courses, car nous avons remarqué qu'une fois une course terminée, l'identité des parieurs est révélée. Si le fraudeur que je cherche joue dans la cour des grands, alors, nécessairement, il gagne de gros montants.

Antoine replonge dans sa BD et moi, j'épluche tous les sites pour noter le nom des grands gagnants. J'y trouverai peut-être une piste. Pour ce qui est du réseau de criminels, mon cerveau fait comme s'il n'en savait rien, sinon, c'est trop flippant d'y penser !

Antoine interrompt mon élan :

— Tu veux qu'on fasse notre fête ensemble ? me demande-t-il soudain.

— Qu'on quoi ! ?

— La fin de semaine prochaine. On pourrait fêter notre anniversaire en même temps. Je pourrais demander à mes parents la permission pour organiser une fête : deux fêtes, ça se fête en grand !

Ouf ! C'est beaucoup de « fête » dans la même phrase ! Surtout que je n'ai absolument pas le cœur à la... fête. J'avais d'ailleurs complètement oublié mon anniversaire. Si ce n'était que de moi, je sauterais mon tour cette année. Je passerai directement de onze ans à treize ans l'an prochain. Mais pour faire plaisir à Antoine, j'accepte.

Emballé par ma réponse, il propose :

— On pourrait faire une fête-camping ! On dormirait dans des tentes dans la cour !

Je m'efforce de m'enthousiasmer.

— Ouais ! Superbe idée !

Antoine se lève d'un bond et sort de sa chambre en coup de vent. Il est rarement aussi spontané ! Puis, il réapparaît pour me dire :

— Je me suis trompé, la prochaine course, c'est en Hongrie à la fin du mois ! Préviens-moi si tu deviens riche !

Je fais quelques clics qui me confirment son information. D'ici la fin du mois, j'aurai le temps d'étudier ma liste de noms et de relever d'autres indices.

***

Pendant le souper, Antoine parle à ses parents de « notre » idée de fête-camping. Ils acceptent sous certaines conditions :

— Pas d'invités plus vieux.

— Pas de filles.

— Pas plus de dix invités.

— Pas d'alcool.

— Ménage obligatoire le lendemain.

— Autorisation signée des parents de chaque invité.

(Pas de plaisir, tant qu'à y être !)

Nous acceptons toutes les conditions, sauf la dernière. Après une féroce négociation, ils la troquent pour une autorisation téléphonique. Par chance, mes parents ne sont pas profs !

***

Le soir arrivé, je m'étends dans mon lit et je me mets à réfléchir à l'enquête. Ça m'angoisse de devoir attendre le prochain Grand Prix. Je ne sais pas ce que je cherche réellement. Un fraudeur, ça, je sais ! Mais comment je fais pour trouver un fraudeur ? Je crois qu'avec ma liste des meilleurs parieurs j'avance dans la bonne direction, mais je n'en suis pas certain. Peut-être qu'en regardant la course en direct, je trouverai d'autres pistes[5] ?

Aussi, je me demande vraiment ce que Mme Labonté faisait chez ces gens visiblement très pauvres... Cette histoire d'amitié, je n'y crois pas. Je vais aller faire un tour dans la rue Spring Palace demain, pour voir ce qui se passe dans le coin de chez Mme Labonté.

5. — Chose certaine, tu trouveras une piste de course ! Ha ! Je suis vraiment maître dans l'art des jeux de mots !

8 juillet
Lire mes documents
d'enquête.

TOP SECRET

— Le dimanche 8 juillet,
16 jours après la disparition —

Chaque journée passée sans mon père est une journée de trop. Depuis quatre jours, j'ai l'impression de ne rien faire pour l'aider. En fait, je fais bien une seule chose : j'attends. J'attends la prochaine étape du championnat du monde.

J'ai épluché la liste des meilleurs parieurs, mais il y en a trop, Aussi bien chercher un trèfle sur un terrain de soccer ! Le fraudeur que je cherche agit nécessairement dans le présent, alors en regardant la course en direct, j'espère pouvoir faire un lien avec les gagnants présents et passés, et ainsi peut-être éliminer quelques suspects.

Je suis passé quelques fois devant la maison de Mme Labonté, mais il n'y a rien qui bouge dans son coin. Et les journaux qui s'accumulent sous son porche me laissent croire qu'elle est peut-être en vacances.

En attendant, tous les matins, je m'entraîne un peu avec Stéphane et j'essaie d'apprendre de nouveaux tours à Bijou, mais ça ne m'occupe pas suffisamment. À mon entraînement de ce matin, je saurai qui de mon équipe a été choisi dans le groupe de sport-études. Ça mettra un peu de piquant dans ma vie.

Avant de partir, je décide de lâcher un coup de fil à ma mère. Quand elle travaille, elle exige que ce soit elle qui communique avec moi, mais comme elle est chez ma grand-mère, je me permets de lui faire la surprise.

Ça sonne. Pas de réponse. Dommage, j'aurais voulu être un bon garçon.

Je prends mon sac de sport et comme je sors de la chambre, mon cellulaire sonne. C'est ma mère.

— Allô maman !

— Léo, je t'ai déjà dit que c'est moi qui dois appeler.

Voilà qui commence bien une conversation mère-fils !

— Je ne savais pas que c'était aussi le cas quand tu es en vacances. Désolé.

Quelques secondes de silence et ma mère me répond en chuchotant.

— Je m'excuse, tu ne pouvais pas savoir que mamie dormait.

— Encore ? Mais il est neuf heures ? Je croyais que les personnes âgées avaient plutôt l'habitude de se lever à l'aurore !

Silence.

— Elle est un peu enrhumée.

La voix de ma mère semble nerveuse. Comme si elle était pressée.

— Allez, dépêche-toi, tu vas être en retard à ton entraînement ! Je t'aime.

Elle raccroche. Même en vacances, ma mère ne perd pas son sens organisationnel et arrive à gérer mon emploi du temps !

***

Lorsque je mets le pied sur le terrain, tous les membres de l'équipe s'empressent de me féliciter ! Sam a vendu la mèche. J'apprends que Logan et Zac ont aussi été sélectionnés. Je suis soulagé de savoir que je ne serai pas seul pour la rentrée scolaire.

Après l'entraînement, j'invite cinq gars à ma fête de samedi prochain.

***

À mon retour, la maison de mon cousin est vide. Ma liste des plus grands parieurs en main, je cherche une nouvelle approche pour cibler des suspects. Avec des pseudonymes comme Popeye, Mustang, FastFurious, etc., les recherches sur ces parieurs ne mèneraient à rien.

J'ai une idée ! Je décide d'éliminer tous les pseudonymes trop communs ou qui ne mèneront nulle part. Quand on se retrouve devant le néant, il faut parfois miser sur la chance. Alors espérons que j'aurai de la chance sur ce coup !

Alphonso   Alfred124   ~~12345~~

~~Winner~~   Batman   ~~FastFurious~~

~~Mustang~~   ~~Speed~~   Milo

~~Robin des bois~~   ~~Gandalfe~~   Mike007

~~Elvis~~   LuckyBoy   ~~Popeye~~   Moussell

Ratif

Je commence des recherches avec les noms qu'il me reste. Génial! Je trouve des articles écrits par des fanatiques de F1. J'imprime tous ceux qui sont intéressants. Comme je saisis la dernière feuille fraîchement sortie de l'imprimante, mon cousin et sa famille entrent dans la maison. Je m'empresse de dissimuler les feuilles alors qu'Antoine arrive dans la chambre.

— Salut Léo!

— Salut! Eh, j'ai fait mes invitations pour la fête, cinq gars de mon équipe vont venir. Toi, t'as invité qui?

Mon cousin bafouille, je ne saisis pas ce qu'il dit.

— Quoi?

— Bah! Mes amis sont trop moumounes, ils ont peur de dormir sous la tente.

Je rigole.

— Sérieux? Qui ça?

— Bah, tous mes potes, là...

Comme Antoine et moi n'allons pas à la même école, je ne connais pas ses amis. S'ils ont peur de dormir sous une tente, je préfère ne pas les connaître !

— On fait quoi alors ? Tu veux qu'on annule la tente ?

— Pas question ! Invite cinq autres de tes potes, tant pis pour les miens !

— C'est comme tu veux.

En réalité, ça fait mon affaire, j'avais justement eu de la difficulté à choisir qui inviter.

***

Après le souper, tout le monde s'installe devant un film. Je m'invente une grande fatigue et je monte à la chambre pour lire mes documents d'enquête. C'est ce que je vais faire toute la semaine, j'en ai bien peur.

14 juillet
En apprendre plus
sur Milo et célébrer
mon anniversaire.

TOP SECRET

— Le samedi 14 juillet,
22 jours après la disparition —

Voilà sept jours que je lis et relis les articles. Mes yeux sont brûlés par les mots et j'ai mal à la main à force de surligner au marqueur. En plus, je ne sais jamais si ce que je surligne est pertinent ou pas. Pas facile de faire une recherche quand on ignore ce que l'on cherche ! J'ai tellement lu sur chacun des parieurs professionnels que j'ai l'impression d'être leur ami. Aucun d'eux ne semble être un fraudeur potentiel, d'ailleurs ! Je suis sur le point de me décourager.

Je rassemble les centaines de feuilles et un titre d'article attire mon attention : « Qui est réellement Milo ? »

Cet article a été publié par un dénommé Paolo, un Italien qui habite la ville de Milan. Il raconte que Milo reste à ce jour un des plus grands parieurs de F1. Cet homme (ou cette femme ?) est sans visage. Personne ne sait qui il est. Il est mystérieux et tous envient sa chance, son intuition et son exactitude dans les paris. Il a remporté jusqu'à ce jour des millions de dollars dans différents pays.

Voilà qui est intéressant ! La plus grande qualité d'un fraudeur est sans doute l'anonymat. Je dois savoir qui se cache derrière ce riche personnage.

Afin d'en apprendre plus sur Milo, je décide d'entrer en contact avec Paolo, l'auteur de l'article. Peut-être connaît-il des détails qui m'aideront dans mon enquête.

Comme j'appuie sur la touche « Envoyer », Antoine surgit dans la chambre. Il tient dans la main droite un sac de chips et dans la gauche, un sac de pop-corn.

— Chips ou pop-corn ?

— Non, merci Antoine, je n'ai pas faim.

— Non ! Pas pour toi ! Pour ce soir ! Pour la fête ! Tes amis préfèrent les chips ou le pop-corn ? À moins que vous, les sportifs, ne préfériez les crudités ? Avec ou sans trempette, les légumes ?

J'interromps mon cousin dans son monologue culinaire :

— Relaxe, buddy ! On peut servir des chips et du pop-corn.

Mon cousin s'exclame de manière absolument trop enthousiaste pour la situation :

— Très bonne idée, le cousin ! Nous servirons des chips ET du pop-corn ! Et les crudités ?

— Pas de crudités.

Il semble vouloir retourner à son organisation, puis il revient à la charge.

Je reste là la bouche ouverte. Pas moyen de placer un mot dans son discours nerveux. Antoine rit et il disparaît. Quelques secondes plus tard, j'entends des bruits sourds dehors, comme des coups de fusil. Je cours à la fenêtre, c'est Antoine qui saute à pieds joints sur les ballons qu'il avait gonflés. Une chose est certaine, Antoine est vraiment plus motivé à fêter notre anniversaire que moi !

***

C'est Logan et Jérémy qui se pointent les premiers pour la fête (ou plutôt le party...). Nous allons dans la cour arrière pour commencer l'installation des tentes. Stéphane n'est jamais très loin et supervise l'opération. Petit à petit, tous nos invités arrivent et à 17 h 30 la fête (le party) peut commencer ! Je suis content, tous mes amis sont venus : Sam, Logan, Jérémy, Gabriel, Frédérick, Zac, Noah, Édouard, Nicolas et Alex.

La nuit tombée, nous allumons un feu. Me retrouver entouré de mes amis me fait plus de bien que je ne l'avais pensé. Nous parlons de n'importe quoi : le soccer, la rentrée, etc. Nous sommes déçus de devoir nous séparer pour le secondaire. Nous avons tous grandi dans le même quartier, fréquenté la même école (sauf Antoine), joué au soccer au même terrain. Là, nous allons dans une école secondaire plus à notre image. Certains iront à l'école du quartier ou au privé, d'autres dans un programme d'éducation internationale, en concentration anglais ou, comme moi, en sport-études.

Je ne sais pas ce qui me stresse le plus dans l'idée de commencer le secondaire : fréquenter une école dans laquelle je ne connais presque personne, perdre mes amis ou avoir plein de profs différents et plus sévères ? Toute l'année, Mme Mélany, ma prof de sixième, n'a pas arrêté de nous répéter que les enseignants au secondaire n'endurent pas très longtemps les élèves tannants. Qu'ils les expulsent du cours à la moindre occasion et qu'ils donnent des tonnes de devoirs.

Pour l'instant, on essaie tous de s'encourager à aller au secondaire. Alex commence avec un argument de force :

— Moi, je suis bien content d'aller au secondaire, parce qu'on va pouvoir enfin manger de la gomme dans la classe.

Nicolas, qui s'en va dans une école privée, est moins motivé...

— Pas de gomme au privé pour moi !

Jérémy :

— On va pouvoir garder notre casquette dans l'école.

Nicolas :

— Pas au privé... Mais on fera des voyages !

Logan :

— Embrasser notre copine sur notre case !

Sam :

— T'as même pas de copine !

Logan :

— Non, mais je vais aller à la même école que la tienne !

Sam frappe Logan sur l'épaule.

Rires !

Frédérick :

— L'hiver, pendant la pause, on restera à l'intérieur et on ne sera plus obligés de mettre un pantalon de neige !

Tous :

— Ouais !! Enfin !

Noah :

— On ne sera plus obligés de changer nos souliers !
En plus, on n'aura plus à endurer le même prof toute
l'année.

Moi :

— Non, mais c'est pire, on va devoir en endurer plusieurs !

Sam :

— Il paraît que le prof de musique à St-James est
malade : il joue de la guitare électrique dans les cours !
Ça va faire changement de la flûte à bec et du xylophone,
ça !

Rires !

Nous passons le reste de la soirée à dire des niaise-
ries, à manger des guimauves et à faire des concours de
tir au poignet !

La nuit tombée, nous entrons dans les tentes. Bijou se
couche bien au chaud au fond de mon sac de couchage et
nous nous endormons passé minuit.

**— Le dimanche 15 juillet,
23 jours après la disparition —**

Dimanche, jour d'entraînement malgré la pluie. Personne n'a vraiment bien dormi, nous sommes tous trop fatigués et démotivés.

Après les deux heures interminables d'entraînement, je rentre rapidement chez mon oncle. J'espère avoir reçu des nouvelles de Paolo...

Vérifications faites, j'ai des dizaines de messages de bonne fête, mais aucun de Paolo.

Je compte l'argent reçu hier (on a passé l'âge de s'emballer des cadeaux). Wow! Près de 150 $! Génial! Je remets le tout dans une enveloppe.

***

La journée a passé au compte-gouttes. À 16 heures, je vais revoir ma boîte de messages pour la mille-quatre-cent-soixante-douzième fois de la journée. Miracle! J'ai un message de Paolo!

De : Paolo
À : (Léo P.)
Cc :
Objet : Re: Question

Bonjour cousin canadien,
Heureux de savoir que je ne suis pas le seul
à m'intéresser à Milo. Depuis quelque temps
déjà, je tente d'en apprendre plus sur lui,
mais tout ce que je suis arrivé à découvrir
jusqu'à maintenant, c'est que je n'en saurai
probablement jamais plus! Si j'ai un conseil à
te donner, c'est de laisser tomber. Va jouer avec
les gamins de ton âge. Faire des recherches sur
ce mec ne t'apportera que des ennuis.
Paolo

Je ne me vois pas, mais je suis certain que je suis aussi pâle qu'une paire de jambes au mois de mai. Je ne peux pas arrêter mes recherches sur Milo, je le soupçonne même sérieusement d'être l'homme que je recherche. Plus mon enquête avance, plus ça m'apparaît évident : il n'existe nulle part sauf sur le Web, il gagne toujours et je viens d'apprendre que c'est un homme dangereux. Il a le profil parfait du fraudeur. Paolo a raison, à 12 ans et un jour, c'est un peu imprudent de se mesurer à un dangereux criminel.

Mais qui a dit que j'étais prudent?

D'un autre côté, comment Paolo sait-il que je suis un gamin? Il me connaît? Et s'il était complice et qu'il avait tenté d'en savoir davantage sur moi par crainte que je démasque le fraudeur ? Et si Paolo était Milo ? Pourtant, j'ai la vive impression que Paolo est sincère quand il dit vouloir me protéger...

J'ai l'impression que mon cerveau surchauffe et qu'il va exploser. L'heure du souper approche, je dois absolument me changer les idées ! Je prends une bande dessinée dans la bibliothèque bien garnie de mon cousin : *Smikee*[6]. Tiens, une histoire de vampire, c'est parfait pour rassurer un gars troublé comme moi.

Quelqu'un cogne à la porte de la chambre. Je lève la tête du livre, déjà 18 heures, je n'avais pas vu le temps passer ! Je commence à comprendre mon cousin qui a toujours le nez dans ses BD. J'ouvre.

— Bonne fête, mon bébé !

— Maman !

— Tu ne pensais quand même pas que j'allais rater ton anniversaire !

Je la serre dans mes bras ! Je suis heureux.

Pendant le souper, ma mère fait des efforts pour être souriante. Après, je vais préparer mes bagages pour rentrer à la maison.

***

Je me couche heureux d'être revenu chez nous, mais inquiet de devoir mener une double vie qui devient de plus en plus dangereuse. J'espère aussi que ma mère retrouvera sa joie de vivre. Avant de m'endormir, je repense à tous les indices que j'ai amassés depuis le début, question de faire de beaux cauchemars !

6. — Très bon choix, Léo !

16 juillet
M'ouvrir un compte
de banque.

TOP SECRET

— Le lundi 16 juillet,
24 jours après la disparition —

Ce matin, j'ai décidé d'ouvrir un compte à la banque. Avec les 1000 $ de récompense gagnés dans ma première enquête, plus l'argent reçu à mon anniversaire, j'ai pensé qu'il serait sage de mettre le tout en lieu sûr.

Arrivé à la banque, je vais voir la dame derrière le comptoir pour lui dire que je désire ouvrir un compte. Elle me demande mon âge et m'informe que je dois être accompagné d'un adulte. C'est impossible ! Je ne peux pas dire à ma mère que j'ai 1000 $ dans les poches ! Et de toute façon, j'ai déjà un compte en banque à mon nom depuis que je suis bébé, alors elle me demandera pourquoi je désire en ouvrir un autre. Justement, c'est pour ne pas qu'elle découvre ma double vie ! Mais ça, je ne peux pas le lui expliquer !

Je tente de convaincre l'employée de la banque et je lui fais mes plus beaux yeux. Rien, ça ne fonctionne pas. L'idée de revenir déguisé avec une moustache me passe par la tête... mais j'abandonne.

Comme je m'apprête à pousser férocement la porte (rien de mieux pour manifester son mécontentement), un homme m'interpelle.

— Monsieur Léo P.?

Je le regarde. C'est un homme chauve qui porte fièrement le veston carreauté et une cravate rouge. Je ne sais pas si je dois répondre oui ou non. Est-ce un tueur à gages? La police? Un détective? Milo?! Ma bouche répond:

— Oui.

(Sacrée bouche! Elle ne peut pas se taire, des fois!)

— Suivez-moi, s'il vous plaît.

Je mets mes lunettes pour tenter de le scanner, mais il se tourne dos à moi et je n'arrive pas à actionner la reconnaissance du visage. Zut!

Il se dirige vers un bureau sécurisé au fond de la pièce. Ça m'inquiète moins que s'il m'avait attiré dehors dans une camionnette aux vitres teintées noires. Il me fait entrer dans son bureau et referme la porte. Tout indique qu'il est le directeur. L'homme se tourne vers moi et alors que j'essaie de le scanner, tout s'embrouille dans mes lunettes et je n'y vois plus rien, elles ne fonctionnent plus. Étrange!

VOILÀ, DESCENDS L'ESCALIER ET ATTENDS-MOI PLUS BAS. SURTOUT, N'AVANCE PAS PLUS LOIN.

AS-TU DÉJÀ JOUÉ AU LIMBO?

EUH... JE SUIS MEILLEUR AVEC DE LA MUSIQUE.

JE NE ME SUIS PAS PRÉSENTÉ, JE SUIS ÉMILE HIONÈRE, LE DIRECTEUR DE LA BANQUE.

TU SAIS QUE JE T'ATTENDAIS PLUS TÔT...

LA DERNIÈRE FOIS, JE SUIS ARRIVÉ EN AVANCE SANS LE SAVOIR. ET VOILÀ QU'AUJOURD'HUI JE SUIS EN RETARD. SI MON PÈRE M'AVAIT TRANSMIS UNE COPIE DE SON PLAN, J'AURAIS PU M'EFFORCER D'ÊTRE PLUS PONCTUEL!

NOUS SOMMES DANS LE COFFRE-FORT LE PLUS SECRET, LE PLUS RICHE ET LE MIEUX GARDÉ DU PAYS. TU PEUX ENTRER.

TON PÈRE T'A OUVERT UN COMPTE DE BANQUE, IL Y A QUELQUES SEMAINES. LES INFORMATIONS SONT DANS CETTE ENVELOPPE.

VOUS AVEZ VU MON PÈRE? QUAND? MAIS QU'EST-CE QU'IL VOUS A DIT?

— Non, je ne l'ai pas vu. Une autre personne est venue en son nom.

— Qui ça?

— C'est là une information confidentielle.

— Monsieur, mon père a disparu. Vous devez tout me dire, sa vie est peut-être en danger! Qui est cette personne?

Si une autre personne est au courant de la double vie de mon père, je dois absolument le savoir! Elle détient des informations hyper-importantes pour mon enquête.

— Désolé.

— Si vous ne me dites rien, je révélerai tout sur l'existence de cette forteresse dans les réseaux sociaux!

— Ah oui? Et avec quelles preuves? Est-ce que quelqu'un d'autre sait que tu es ici présentement? Tu pourrais très bien ne jamais revenir, toi aussi. Choisis la bonne équipe, mon garçon.

Je jette un œil sur mon téléphone : pas de réseau! Il a raison, il pourrait bien me laisser moisir ici et personne ne me retrouverait. J'ose détourner le regard. Heureusement, aucun squelette enchaîné ne gît dans le coin…

Je me lève.

— Merci, monsieur Hionère, vous pouvez maintenant me reconduire à la sortie.

Je glisse l'enveloppe dans la poche de ma veste et nous sortons.

Avant de quitter rapidement la banque, je feins de recevoir un appel et j'en profite pour prendre en photo l'homme à cravate.

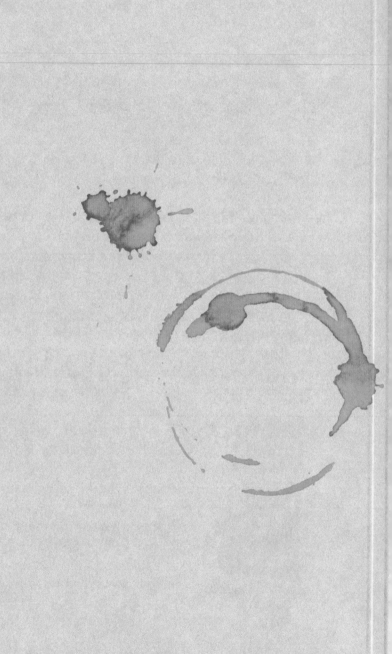

CHAPITRE | B-08 | ENQUÊTE **B3L6E**

16 juillet
Relever le empreintes
de tout le monde.

TOP SECRET

— Le lundi 16 juillet au soir, 24 jours après la disparition —

J e me rends au bureau de mon père. Mes mains trem-
blent et mes jambes sont molles. Je regarde dans
l'enveloppe : c'est bien ce que je pensais, il y a une
lettre de…

Mon cher fils,

Si tout se passe comme prévu, tu auras bientôt besoin
d'un compte en banque. Ceci est un compte secret. Ne va
jamais au comptoir pour retirer de l'argent ni dans les
guichets automatiques, ça ne fonctionnera pas. Pour
retirer de l'argent, tu devras passer directement par
Émile Flionère. Aussi, chaque fois que tu es en mission,
méfie-toi des caméras. On ne sait jamais qui nous
regarde ! N'utilise pas ton courriel ni ton téléphone

portable (oui, je sais que maman t'en a acheté un) pour la mission. De nos jours, la poste et les téléphones publics sont redevenus plus sûrs. Je suis fier de toi, mon fils, et j'ai encore confiance qu'un jour, nous nous retrouverons! Pour le moment il n'y a pas d'argent dans ton compte, mais ça viendra. En temps et lieu, tu sauras quoi faire avec ces dollars.

Papa xxx

P.-S. Tu n'as pas à te méfier de Paolo, il est très sympathique. Par contre, lui se méfiera de toi. Pour gagner sa confiance, pose-lui cette question: «Savez-vous où je peux trouver de la baguette au bacon?» Mais attention: tu n'auras pas deux chances d'avoir son entière collaboration! Ne te trompe pas. Repose-toi jusqu'au prochain Grand Prix, car tu sais: rien ne sert de courir, il faut partir à point! Et il faut savoir bien viser sa cible avant de dégainer sa flèche. Bonne chance, champion!

Comment il fait pour deviner tout ce qui va se passer ? Et qui lui a dit pour Paolo ? Quand a-t-il bien pu écrire cette lettre ? Me reposer ? ! Impossible ! Qui me donnera de l'argent ? Lui ? Comment ? Qui est cette personne qui est venue en son nom ? Je dois la retrouver !

Je décide d'épingler sur le babillard de mon père les photos de tous ceux que j'ai rencontrés durant les enquêtes. Je dois absolument avoir un visuel de chacun et essayer de classer mes amis et mes ennemis.

Soudain, j'ai un éclair de génie : si la reconnaissance faciale de mes lunettes fonctionnait sur les photos, je pourrais scanner le directeur de la banque pour en savoir plus sur lui ! Je tente le coup.

Fin de mon éclair de génie, ça ne fonctionne pas. Puis, j'ai un second éclair de génie : les empreintes digitales ! Eurêka ! Je dois découvrir qui a mis la main sur cette enveloppe. Chaque fois que l'on touche un objet, on laisse une trace invisible à l'œil nu... mais pas invisible pour mes lunettes !

ALLIÉS

Une chance qu'ils sont là !

Antoine, Stéphane et Annita
(alliés !)

Maman
(alliée !)

Dentiste
(allié !)

Paolo
(allié !)

OK, dit papa

INNOCENTS

Désagréable

Marguerite Lafleur
(innocente !)

Laurie
(alliée !)

Cool!!
☺

Charli le chauffeur
(innocent ?)

Enquêteur Bonsecours
(innocent ?)

Agent Menot
(innocent ?)

Agent Tiquette
(innocent ?)

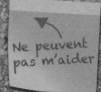
Ne peuvent
pas m'aider

ENQUÊTE
#1

LOUCHE ↓

Amies ?

Mme Labonté
(suspecte ?)

Gilles Gagné
(suspect ?)

Elia Lachance
(suspecte ?)

SUSPECTS

ENQUÊTE
#2

M. Émile Hionère
(suspect ?)

Milo
(suspect !)

Bizarre

En regardant les empreintes sur l'enveloppe, je vais savoir si mon père y a vraiment touché et s'il y a une mystérieuse personne qui est venue à la banque en son nom. Je remets mes lunettes pour activer la reconnaissance digitale.

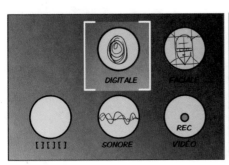 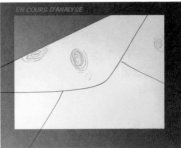

Je scanne l'enveloppe et j'y vois quatre marques de doigts. Je relève donc les empreintes de mon père sur un tiroir de son classeur et j'active la reconnaissance avec les empreintes de l'enveloppe. Une d'elles correspond. Une autre est celle du banquier, c'est certain, et il y a la mienne. Il en reste une quatrième qui appartient à la personne qui aide mon père.

Je vais devoir recueillir plus d'empreintes pour tenter de découvrir à qui celles de l'enveloppe appartiennent. Je relève celles de Marguerite Lafleur sur l'enveloppe de la récompense qu'elle m'a offerte. Il me manque beaucoup d'empreintes, mais je décide de créer une fiche personnelle pour tous les gens qui m'entourent. Si la personne envoyée par mon père vient à entrer en contact avec moi, forcément, je la démasquerai.

PREMIÈRE ÉTAPE ACCOMPLIE. J'AI LES EMPREINTES DIGITALES DE TOUTE MA FAMILLE.

QUOIQUE JE NE SUIS PAS CERTAIN QU'ELLES ME SERONT TRÈS UTILES...

PRÉLEVER DES EMPREINTES CHEZ MADAME LABONTÉ NE SERA PAS DE LA TARTE. ELLE EST DU GENRE À AVOIR ...

... UN GROS SYSTÈME D'ALARME.

AH, TIENS. JE NE LE CROYAIS PAS SI GROS, SON SYSTÈME D'ALARME !

BIJOU, TU TE CHARGES DE LUI ??

J'AI COMPRIS, NOUS PASSONS AU PLAN B.

HAAAAAAAA !

Aucune des empreintes scannées ne correspond à la mystérieuse empreinte sur l'enveloppe. Je ne peux quand même pas relever les empreintes de tous les habitants de la ville! Quoique... il existe un endroit où beaucoup d'empreintes sont répertoriées. Je crois qu'une autre petite visite au poste s'impose.

***

Au poste de police, je ne sais pas pourquoi, personne ne semble vraiment ravi de me voir. J'espère qu'ils n'ont pas compris que je les avais complètement menés vers de fausses pistes et que j'avais volontairement bousillé leur dossier d'enquête et volé leurs informations... qui d'ailleurs ne servent à rien! La police est complètement dans le champ en ce qui concerne cette enquête. Les agents ne font que du labourage d'indices insignifiants.

J'ai dans mes mains la tasse à café de mon père et je prends mon petit air innocent. C'est l'agent Bonsecours qui vient me voir.

— Bonjour Léo, qu'est-ce qu'on peut encore faire pour toi?

— Bonjour monsieur l'agent, j'ai apporté la tasse préférée de mon père, je me suis dit que vous pourriez relever ses empreintes dessus... pour votre enquête.

— Comme je te l'ai déjà dit, Léo, nous avons tout ce qu'il nous faut.

— Ah! Mais je pensais que vous n'aviez pas les empreintes de mon père.

— Bien sûr que nous les possédons! Les tiennes aussi, d'ailleurs! Elles sont dans nos dossiers et si quelqu'un quelque part relève l'empreinte de ton père, nous en serons immédiatement informés.

— Mais comment?

— Beaucoup d'empreintes de résidents du Canada sont dans un programme informatique, du moins les empreintes de tous ceux qui ont été liés à une enquête. Nous n'avons qu'à scanner l'empreinte recueillie et notre système recherchera automatiquement s'il y a une correspondance dans notre système, et ce, dans tout le pays.

— Vraiment?

Note à moi-même: à partir de maintenant, je dois surveiller mes doigts!

Il ne me reste qu'une information à valider…

— Vous avez l'air fatigué, monsieur l'agent… Avez-vous travaillé cette nuit?

— Non, le poste ici est fermé la nuit. C'est le poste de l'arrondissement voisin qui assure les surveillances de nuit.

J'en sais suffisamment, je mets donc rapidement fin à mon petit jeu.

— Bon, alors je vous laisse faire votre travail, monsieur l'agent. De toute façon, la tasse était allée au lave-vaisselle, alors j'imagine qu'il n'y avait plus d'empreintes dessus! Au revoir! Bonne journée. Reposez-vous bien!

Je regarde les autres policiers à leur bureau.

— Salut là! Vous faites du bon boulot! Lâchez pas!

En partant, je balaie des yeux tout le poste et je mémorise l'emplacement des détecteurs de mouvement. Ça me servira plus tard.

Je glisse rapidement ma gomme dûment mâchée dans le trou du système de verrouillage de la porte. Je sors pour mieux revenir cette nuit.

***

Minuit vient de sonner. Je me faufile par la fenêtre de ma chambre. Avec Bijou dans mon sac à dos, je saute sur mon vélo et je traverse la ville plongée dans le noir. C'est le calme plat, ce qui rend chaque petit bruit inquiétant.

Arrivé près du poste, j'enfile ma tuque et des gants, puis je mets mon capuchon. Je sors Bijou de mon sac, je lui enfile sa combinaison de camouflage, et je lui demande de monter la garde. Il jappera, ou plutôt il miaulera si quelqu'un s'approche.

Je tire sur la porte et, comme prévu, elle s'ouvre ! Ma gomme à mâcher a bloqué le mécanisme de fermeture et trompé le système d'alarme.

Je sais exactement où sont les détecteurs de mouvement et les caméras. Je longe les murs, accroupi au sol. Le truc, c'est de ne pas faire de gestes brusques. Si je me déplace très lentement, je ne serai pas détecté. Arrivé devant le bureau de l'agent, je peux me relever sans problème car le détecteur de mouvement est orienté vers la fenêtre.

J'ouvre l'ordinateur et je me heurte au mot de passe. Je regarde autour de moi dans l'espoir de trouver une inspiration. Puis je vois sur le mur une photo de l'agent Bonsecours, avec un air un peu plus jeune mais toujours la même moustache, en compagnie d'un chien policier. Une plaque en dessous de la photo indique « Brutus,

10 ans de loyaux services ». Il semblerait que l'inspecteur ait été maître-chien… Je tape Brutus comme mot de passe… Trop facile !

Après quelques clics, j'arrive à comprendre comment activer la reconnaissance d'empreintes. J'oriente mes lunettes vers l'écran : elles s'activent et intègrent les informations. C'est génial !

Malheureusement, je ne trouve rien dans le système qui corresponde à mon empreinte mystérieuse. Je relance la recherche, au cas où… Rien ! C'était trop beau pour être vrai.

Découragé, je quitte le bureau… en oubliant complètement le système d'alarme !

La sirène retentit dans tout le bâtiment ! Je cours, je saisis Bijou le chat et j'enfourche mon vélo à toute allure. Dans un tournant, je vois les voitures de police qui arrivent au bout de la rue. Je plonge dans un bosquet avec mon vélo. Je m'y enfonce, branches dans la figure, le temps que les voitures passent. Je me relève et je continue, un peu affaibli par ma cascade mal calculée.

J'entre chez moi, je panse mes blessures et je me couche pour les quelques heures de nuit qu'il me reste. Que d'émotions !

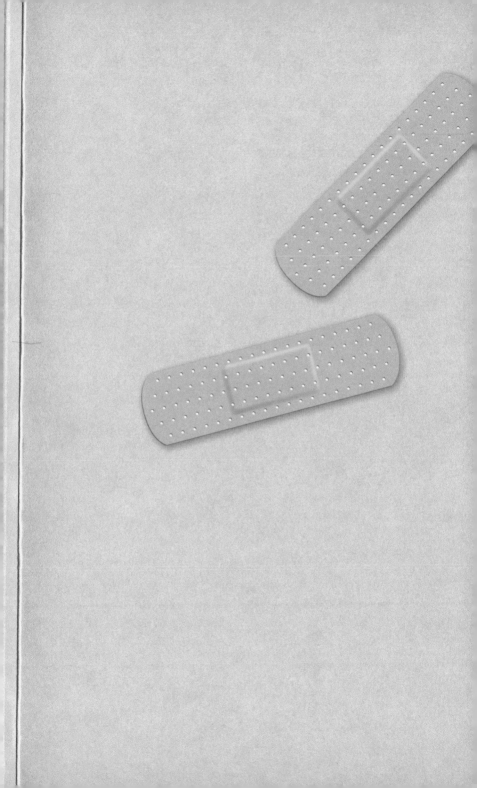

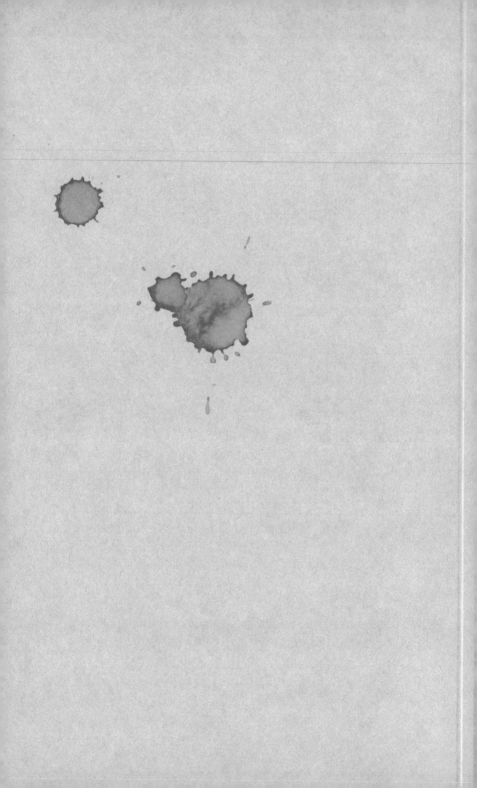

TOP SECRET

**— Le dimanche 29 juillet,
37 jours après la disparition —**

Jour du Grand Prix de F1. Je suis devant mon ordinateur à regarder les voitures tourner en rond. Je ne sais pas ce que j'attends. Milo ne m'écrira certainement pas pour se dénoncer !

La course vient de finir. Je regarde les résultats et, une fois de plus, Milo remporte le magot. Maintenant, j'en suis certain : même si je ne sais pas encore comment il fait, je sais que c'est lui, mon fraudeur. Il a gagné dans le passé et continue de remporter coup sur coup. Je consulte les statistiques : depuis deux ans, il remporte le butin presque chaque fois ! Pas des petites sommes à part ça : 1 000 000 $ en Allemagne, 2 750 000 $ au Japon, 1 830 000 $ au Canada...

Tiens, tiens, bizarre, je ne vois pas l'Italie dans le registre des paris. Étrange. Pourquoi tous les pays sauf celui-là? L'Italie, c'est aussi le pays où Paolo habite et le Grand Prix d'Italie se déroule dans une ville pas très loin de Milan. Milan/Milo... Hasard ou non? Pas facile d'y voir clair de mon côté de l'océan. Est-ce que ce serait le bon moment pour questionner Paolo et dégainer ma flèche?

J'ai besoin d'air!

Un malaise s'installe. Je voudrais continuer de discuter, mais la voix de Sam résonne dans ma tête : « C'est elle ou c'est moi, buddy ! »

— Bon ! Je vais y aller, moi. Bonne journée, Laurie.

— Salut Léo.

J'avance de quelques pas et Laurie m'interpelle. Je me retourne.

— Eh ! Je voulais te dire… Sam et moi, c'est terminé.

Impossible, j'ai dû mal comprendre…

— Quoi ?

— C'est Samuel : il ne veut pas avoir une copine qui va dans une autre école. En tout cas, c'est ce qu'il m'a dit.

Face à mon silence, Laurie se voit obligée de mettre fin à cet interminable moment.

— Ben c'est ça, je voulais juste te dire ça.

Elle se retourne et poursuit sa route.

Je n'en reviens pas, j'ai presque perdu l'amitié de mon meilleur pote pour une fille qu'il a laissée quelques semaines plus tard ! Et pourquoi Sam ne m'a rien dit ?

Eurêka ! J'y pense : Laurie va pouvoir m'aider à nouveau. Je l'interpelle.

— Laurie ! J'ai encore besoin de ton aide.

Elle revient sur ses pas…

— Je m'en doutais ! Allez, raconte !

L'excitation de Laurie me rassure, c'est comme s'il n'y avait rien à son épreuve.

— J'ai besoin des empreintes digitales de Mme Labonté. Sa maison est trop bien gardée pour que je puisse m'y introduire. Comme elle croit que tu es la nièce d'une amie depuis ton infiltration dans sa soirée des mondaines humaines, tu pourrais te trouver une raison pour la visiter et me rapporter un objet qu'elle a touché.

— Pas de problème, Léo! Et, comme d'habitude, je ne pose pas de question!?

— Ouin...

— Tu me promets quelque chose avant?

— Quoi?

— Quand tu le pourras, tu m'expliqueras tout?

— Promis Laurie, quand je le pourrai, je te dirai tout. (Je meurs déjà d'envie de tout lui dire!)

Je lui prends la main et j'écrase chacun de ses doigts sur l'écran de mon cellulaire. J'ai les mains moites à penser que je suis en train de prendre les empreintes de Laurie, car je sais qu'elle n'a rien à voir là-dedans... mais dans une enquête, tout le monde est suspect!

Nous restons un moment main dans la main à nous regarder. Puis Laurie me demande :

— Je peux reprendre ma main ou tu en auras besoin?

Mal à l'aise, je mets vite fin à cette rencontre. Je remercie Laurie et je rentre rapidement à la maison pour scanner ses traces de doigts.

***

Après avoir créé une fiche au nom de Laurie dans mon dossier d'empreintes, je ressors tous les graphiques de statistiques de paris et je réalise qu'un détail m'avait échappé : il existe deux façons de parier, en ligne et sur place.

Bien sûr! Pourquoi n'y ai-je pas pensé avant?! Pendant tout ce temps, j'avais la réponse sous les yeux. Je me frappe la tête avec ma main. J'ai trouvé le morceau de casse-tête qu'il me manquait. Milo gagne aussi ses paris en Italie, la différence, c'est qu'il s'y rend, il fait ses mises en personne! C'est donc un Italien, tout comme Paolo.

Je vérifie la date du prochain Grand Prix d'Italie. Ce sera le dimanche 2 septembre prochain. Le 2 septembre... mais l'école recommence le lundi 3 septembre! Comment vais-je faire pour enquêter quand je serai à l'école? Surtout, comment vais-je faire pour survivre aussi longtemps sans mon père?!

Mon téléphone sonne. C'est Sam.

— Allô!

— Eh Léo, t'es malade?

— Non, pourquoi tu dis ça?

— T'as oublié la partie de ce matin!

La partie de ce matin! Oh non! J'ai raté une partie de soccer, MOI!

— &* %$ »%&! J'ai complètement oublié!

— Toi, t'as oublié une partie? Ça va pas?

— Qu'est-ce qu'il a dit, l'entraîneur?

— Qu'il s'inquiétait pour toi.

— On va dire que j'étais malade, OK?

— Si tu veux, buddy, mais on a perdu parce que t'étais pas là.

— Je suis désolé, sérieux!

— En passant, je ne sors plus avec Laurie.

— Ah ouin?! Comment ça?

Dans ce genre de situation, mieux vaut jouer l'innocent!

— Bah! Pas le goût d'avoir une copine dans une autre école. On ne se verra plus jamais, ça va être poche.

— Ouin, je comprends.

— Tu vas pouvoir sortir avec elle si tu veux.

Je ris d'amusement, mais aussi de surprise.

— Non merci! Les filles, c'est trop compliqué et je n'ai pas de temps pour ça!

— C'est comme tu veux! Ce soir on va se baigner chez Logan, ça te tente?

— Non... (hésitation), ce soir... (double hésitation) je dois... (triple hésitation) aider ma mère (mensonge).

— Comme tu veux. Bye Léo!

— Salut Sam (sans hésitation)!

Je me cogne la tête sur le mur. Je ne peux pas croire que j'ai oublié une partie! Et pourquoi je n'ai pas compris plus tôt pour Milo!!

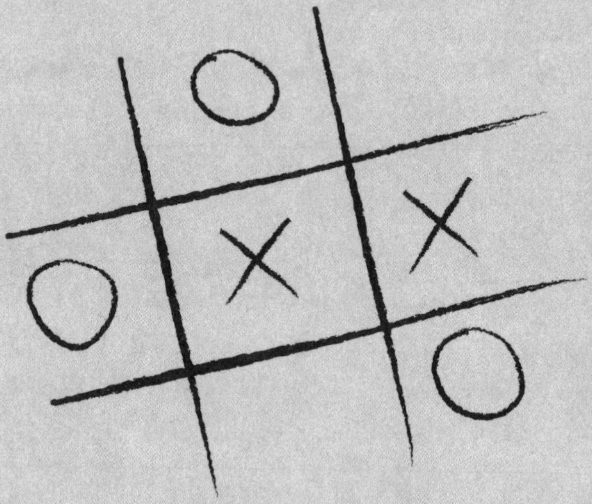

CHAPITRE B-10

ENQUÊTE **B3L6E**

30 juillet
Attendre.

**— Le lundi 30 juillet,
38 jours après la disparition —**

Je décide d'entrer en contact avec Paolo. Mon père m'a clairement dit qu'il coopérerait avec moi. Comme il vit dans le même pays que Milo, il est le mieux placé pour me filer un coup de main. Cependant, comme mon père l'a mentionné, je ne peux plus communiquer avec lui par voie électronique. Avec les avancées technologiques, tout porte à croire que les bonnes vieilles méthodes restent les meilleures[7] ! Je lui écris donc une lettre :

7. — Tu as raison, Léo. Tiens Freg, une lettre pour toi !

Salut Paolo,

Tu devras m'excuser, mais la compagnie des gamins de mon âge m'ennuie. Je crois que toi et moi pourrions travailler ensemble. Mais avant tout, j'ai un petit creux! Peut-être pourras-tu me dire où je peux trouver de la baguette au bacon? Je te souhaite une bonne journée.

Ton ami canadien,

Léo P.

Je retrouve son adresse sur Internet, puis je cours mettre ma lettre à la poste. L'attente commence.

***

Le mardi 31 juillet, 39 jours après la disparition.
J'attends et j'apprends des tours à Bijou.
Le mercredi 1er août, 40 jours après la disparition.
J'attends encore. Laurie m'apprend qu'elle a un plan pour entrer chez Mme Labonté. Bonne nouvelle!

Le jeudi 2 août, 41 jours après la disparition.

J'attends toujours. Bijou sait maintenant faire le mort et rapporter la balle (ou tout autre objet).

Le vendredi 3 août, 42 jours après la disparition.

C'est peut-être plus sécuritaire, la poste, mais c'est désespérément long !

Le samedi 4 août, 43 jours après la disparition.

Il n'y a pas de courrier la fin de semaine, je sais ! Bijou peut monter dans une échelle… mais je n'arrive pas encore à le faire redescendre.

Le dimanche 5 août, 44 jours après la disparition.

Cette fois-ci, impossible d'oublier ma partie, je n'ai que ça à faire !

Après l'entraînement, je trouve une petite note dans mon sac de sport. C'est de Laurie. Je souris, il n'y a qu'elle qui puisse oser s'introduire dans le vestiaire des gars !

Désolée pour le délai, Mme Labonté n'était pas chez elle ces derniers jours. Et mauvaise nouvelle: mon plan a échoué... Impossible de recueillir ses empreintes: elle a TOUJOURS des GANTS! À moins de m'inviter dans son bain,

je ne sais plus quoi faire! Je sais que c'est important pour toi, je continue donc à réfléchir à une façon d'y arriver, mais ce sera peut-être plus long que prévu...

Laurie xox

On dirait que même Laurie sait que les bonnes vieilles notes manuscrites sont plus sûres que les courriels et les textos. Elle m'impressionne. Pour les empreintes de Mme Labonté, ça prendra le temps que ça prendra. De toute façon, pour le moment, je dois régler l'histoire des paris.

Le lundi 6 août, 45 jours après la disparition.

Si ça se trouve, ma lettre vient tout juste d'arriver en Italie. Si mon père ne m'avait pas prévenu, je commencerais une autre enquête! Ça me semble une perte de temps!

Je pourrais juste jeter un œil à un autre dossier… question de savoir à quoi m'attendre la prochaine fois pour mieux me préparer, par pur souci de professionnalisme !

J'ai un dossier en main. J'hésite. Une petite voix me dit que ce n'est pas une bonne idée de l'ouvrir. Si mon père a pris la peine de m'avertir, il doit y avoir une bonne raison. Ce n'est certainement pas juste une histoire de chat et de souris. Je repose le dossier. J'ai vu trop de films où des abrutis faisaient exactement le contraire de ce qu'on leur disait et se mettaient dans de sales pétrins. Pas question de faire comme eux, je ne suis pas dans un mauvais film[8].

Le mardi 7 août, 46 jours après la disparition.

Pas de lettre de Paolo, mais une de l'école. C'est ma liste d'effets scolaires. Mélange d'excitation et d'angoisse. Ma mère insiste pour aller tout acheter la même journée. Pourquoi pas ! N'importe quoi pour que le temps passe plus vite !

Le mercredi 8 août, 47 jours après la disparition.

C'est long ! Bijou connaît maintenant la différence entre la gauche et la droite.

Le jeudi 9 août, 48 jours après la disparition.

Enfin ! La voilà !

8. — Ni dans un mauvais livre !

Bonjour cousin canadien,

Le mieux pour toi serait de venir me visiter. En personne, je pourrai t'apprendre tout ce que je sais. Je t'attends le samedi avant le Grand Prix à l'aéroport de Milan.

Paolo

Je reste figé comme un drapeau sans vent. Moi, aller le voir lui, en I-T-A-L-I-E ? Mais, pourquoi pas ? Je n'ai qu'à enfourcher mon vélo sous-marin et, avec un peu de volonté, j'y serai d'ici quoi ? une DIZAINE D'ANNÉES ! Impossible ! Inimaginable ! Grotesque ! Stupide ! Ridicule ! Infaisable ! COMPLÈTEMENT MALADE !

Je me ressaisis. Je regarde sur le site Internet de la compagnie d'avion que mes parents utilisent quand ils voyagent. Un billet aller-retour coûte environ 1000 $. Pas de problème. Je pourrais toujours me payer un vol.

Je continue ma lecture… et j'apprends qu'un enfant ne peut pas voyager sans ses parents ou l'accord de ceux-ci. Ça, c'est un problème ! Je suis foutu. Pour m'acheter un billet, je dois être avec ma mère. Je ne crois pas qu'elle accepterait de partir en Italie avec moi ni de me signer une lettre pour que je le fasse seul.

Sans billet, je ne peux rien faire ! Je dois relaxer, j'ai encore trois semaines pour réfléchir à un plan.

— Le samedi 1er septembre, 71 jours après la disparition —

Minuit : maman s'est enfin endormie ! Je termine mon sac, en m'assurant que je n'ai rien oublié et qu'il y a encore une petite place pour Bijou. Je sors discrètement de la maison par la fenêtre de ma chambre (je commence à avoir l'habitude). Je rêve d'avoir une bat-cave et un tunnel secret pour sortir de chez moi de façon plus... spectaculaire ! J'enfourche mon vélo (toujours le même) jusqu'à la station de taxi la plus proche. Direction : l'aéroport.

J'ai longuement réfléchi. Je ne peux pas m'acheter de billet d'avion, mais aux dernières nouvelles, une valise, ça n'a pas besoin de billet pour voyager ! J'ai vérifié l'heure de départ pour le vol vers l'Italie, il ne me reste plus qu'à ne pas me tromper d'avion...

Je suis en Italie! Incroyable! Dire que ma mère croit que je passe la fin de semaine chez Sam. Et moi, je suis en I-T-A-L-I-E! Je n'ai pas beaucoup de temps, je dois être de retour dimanche soir.

Paolo est devant moi. Je me pince: AÏE! Je ne dors pas! Il me parle avec un accent italien comme dans les films.

— Tou as fait oune bonne voyage, cousin[9]?

— Disons que j'étais loin de la première classe, mais ça va!

— C'est tout oune chien dé garde qué tou as là!

Je porte mes lunettes sur mon nez.

— Rétire ça, tou n'auras aucoune information sour moi. C'est incroyable comme tou ressemble à ton père!

Je n'ai pas affaire à un amateur…

— Vous connaissez mon père?

— Tou peux mé toutoyer! Si jé né connaissais pas ton père, cousin, tou né serais pas ici! Allez, oune taxi nous attend. Et tou dois éviter les agents de l'immigration, souis-moi!

Pendant le trajet, Paolo reste muet. Nous arrivons devant un grand hôtel, un homme ganté vient nous ouvrir la portière. En mettant le pied hors du taxi, Paolo recommence à parler.

— Et avant qué tou té mettes à mé poser oune tonne dé questions auxquelles jé n'ai pas la réponse, jé tiens à té préciser que jé né sais pas où il est ni s'il va bien. Tout cé qué jé sais, c'est qué si tou es ici devant moi, c'est qué c'est lé moment pour moi dé jouer mon pion sour lé jeu. Viens, nous montons à ta chambre.

9. — J'adore cet accent italien! Trop classe!

Nous entrons dans ma chambre, elle est encore plus belle que le hall de l'hôtel ! On dirait un château ! Sur la table, un repas nous attend. Sur le lit, une mallette. Paolo s'apprête à l'ouvrir. Je lui dis d'attendre. Je fouille la chambre à la recherche de caméras ou de micros. Rien. Paolo sourit.

— Ton téléphone ?

— Non, je ne suis pas bête, je l'ai laissé au Québec !

— Ton père avait raison, tou é futé ! Il m'avait prévenou qué si oune jour tou mé contactais, jé devrais régarder céci avec toi.

Paolo ouvre la mallette et en sort plusieurs DVD. J'imagine que mon père ne m'a pas fait venir ici pour écouter des films !

— Qu'est-ce que c'est ?

— Jé né sais pas, mais j'imagine qué ça a oune lien avec la course automobile, car c'est ma spécialisation.

— Pourquoi connaissais-tu mon père ?

Paolo insère le premier DVD dans le lecteur sans répondre à ma question.

— Régardons ça.

C'est une course automobile, tout ce qu'il y a de plus banal. Paolo la reconnaît, c'est le Grand Prix de Montréal de l'an dernier. Nous regardons quelques autres DVD. Ils contiennent tous des courses automobiles, sauf le dernier. Celui-là est un montage de bulletins de nouvelles de partout dans le monde. Des nouvelles sportives qui annoncent l'acquisition d'écuries par différentes compagnies.

Paolo m'explique que l'écurie n'a rien à voir avec les chevaux. C'est plutôt le terme utilisé pour définir toute l'organisation autour d'une voiture.

Trois écuries sont présentées dans le DVD et trois entreprises différentes en sont les actionnaires (les propriétaires). Nous visionnons à nouveau les vidéos des courses en nous attardant sur trois voitures en particulier, une de chaque écurie. Rien de spécial. Aucune d'entre elles ne se classe dans les premières places. Nous nous demandons ce que mon père a bien voulu nous dire !

Il commence à se faire tard et, avec la nuit mouvementée que j'ai passée, mes yeux ferment tout seuls ! Nous déclarons qu'une bonne nuit de sommeil sera la bienvenue. Avant que Paolo parte, je prends soin de graver une copie des DVD sur mon ordinateur et de photographier discrètement Paolo avec ma caméra d'ordinateur. Ce n'est pas de la haute définition, mais ça fera l'affaire.

Une fois que Paolo a quitté la pièce, je recueille ses empreintes sur un bras du fauteuil dans lequel il était assis. Elles ne correspondent pas à celles de l'enveloppe. Déception.

Je m'endors rapidement.

**

C'est le téléphone qui me réveille. Je suis confus, je regarde l'heure : 4 h 30 ! Mais qui peut m'appeler aux petites heures du matin ? Je décroche, méfiant.

— Allô?

— J'ai trouvé, Léo, j'ai trouvé!

C'est Paolo qui semble avoir abusé du café toute la nuit!

— Quoi? Tu as trouvé quoi?

— Les trois voitoures. Elles tendent des embouscades. Elles hameçonnent les coureurs et les empêchent dé sé classer. Elles travaillent ensemble toutes les trois. Pourquoi n'ai-je pas vou ça avant? *Mamma mia*, c'est oune découverte majeure!

— Qu'est-ce que tu racontes, Paolo?

— Cé sont ces voitures qui déterminent lé gagnant, Léo. Elles ralentissent qui elles veulent et laissent passer celles qu'elles choisissent. *Mamma mia*!

— Quoi? On peut faire ça?

Il me répond, surexcité:

— La questionne n'est pas si elles peuvent faire ça, mais bien pourquoi elles le font, Léo! Jé serai à l'hôtel à six heures, repose-toi encore un peu!

Il raccroche.

Je n'arrive évidemment pas à me rendormir. J'ouvre la lumière et je me repenche sur le dossier. Qui sont ces compagnies à qui appartiennent les voitures? Une pétrolière canadienne, une mine de cuivre mexicaine et une plantation de café costaricaine. Aucun lien ne les unit.

***

À six heures, comme prévu, Paolo cogne à la porte de ma chambre. Il n'a pas du tout la tête d'un homme qui n'a pas dormi de la nuit, contrairement à moi! Nous regardons à nouveau les vidéos et je vois très bien de quoi il s'agit. Effectivement, les trois voitures travaillent ensemble. Leurs manœuvres sont prévues en fonction de stopper les autres voitures et non pas de tenter d'être les plus rapides.

Paolo a raison. Mais pourquoi ces voitures agissent-elles ainsi ? Qu'est-ce qui peut pousser des pilotes à ne pas vouloir gagner ? Nous décidons de chercher plus d'information sur les trois compagnies propriétaires des voitures. Nous faisons le tour de leur site Internet, nous cherchons des articles qui les concernent et nous tombons enfin sur quelque chose d'intéressant : Alberto Truffatore fait partie de la liste des principaux actionnaires des trois compagnies. Un même homme dans trois compagnies situées dans trois pays différents, comme c'est bizarre !

Notre ventre refuse de nous laisser continuer nos recherches, l'horloge tourne, la course va bientôt commencer. Nous devons à tout prix en apprendre davantage sur cet Alberto Truffatore. Nous cherchons un petit café avec un accès Internet afin de pouvoir continuer à travailler tout en calmant notre appétit. Et il n'est pas question que je quitte l'Italie sans avoir mangé une pointe de pizza !

Paolo est un drôle de personnage. Il salue chaleureusement le serveur. Ils se font une accolade en échangeant des mots italiens. Il me présente et déjà le serveur me traite comme un de ses potes ! Même en moment de crise Paolo a l'air complètement décontracté.

Nous n'avons pas une minute à perdre. Chacun sur notre ordinateur, nous recherchons des informations sur Alberto. Nous apprenons que c'est un grand homme d'affaires milliardaire d'origine italienne qui possède plusieurs résidences dans le monde. Rien de vraiment pertinent pour nous.

De retour à l'hôtel, nous imprimons sa photo, cela pourrait nous servir. Déçus de n'avoir rien trouvé d'autre qui puisse nous aider dans notre enquête, nous partons pour le Grand Prix.

***

Nous nous installons dans les estrades aux abords de la piste de course. La foule est en délire. Nous regardons les voitures avec nos jumelles. Je balaie les estrades du regard et j'aperçois au loin un homme qui ressemble drôlement à celui que nous cherchons : Alberto. Après vérification, il s'agit bien de lui !

C'est assez normal pour un propriétaire de voitures de course d'être au Grand Prix, cependant, je ne sais pas pourquoi, quelque chose me semble anormal. J'observe autour de lui : il est accompagné de gardes du corps, ce qui doit être normal aussi pour un homme mégariche. Qu'est-ce qui m'échappe, alors ? La femme à ses côtés, j'ai l'impression de l'avoir déjà vue quelque part…

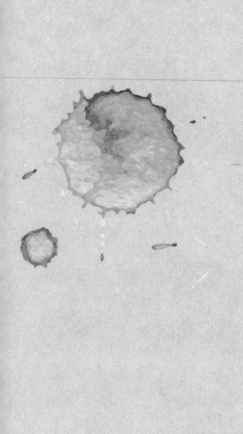
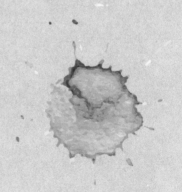

**— Le dimanche 2 septembre,
72 jours après la disparition —**

L a course vient de commencer et les voitures roulent à toute vitesse. Le bruit est insupportable et je n'arrive pas à réfléchir. Mon petit doigt me dit que je dois en apprendre davantage sur cette femme. Je cherche mes lunettes dans mon sac à dos et je les pose sur mon nez. Malheureusement, nous sommes trop loin pour la reconnaissance faciale.

La course se termine : la voiture numéro 6 gagne. Alberto Truffatore est fou de joie. Pourtant, aucune de ses voitures n'a remporté la course... Serait-ce parce qu'il a parié pour la voiture gagnante ? Pourquoi l'homme ne mise-t-il pas sur ses propres voitures ?

Nous nous regardons, Paolo et moi. Nous venons de comprendre ! Il ne parie pas sur ses propres voitures, car il sait très bien qu'elles ne gagneront jamais... Alberto parie pour la voiture qu'il décide de faire gagner. Évidemment! Est-ce que ce serait lui, Milo? Comme ses voitures décident du gagnant, il est facile pour lui de miser sur la bonne, ce qui expliquerait son flair exceptionnel.

Mon cœur s'emballe à l'idée que je viens probablement de résoudre l'enquête, mais mon petit doigt me cogne sur l'épaule: cette femme... elle me dit quelque chose.

— Paolo, suis-moi, je dois absolument savoir qui est cette femme avec Alberto.

— Attends, Léo! Tou né peux pas t'approcher d'eux, les gardes du corps vont t'écrabouiller!

— J'ai un plan!

Je ne peux pas activer la reconnaissance faciale même de plus près, car la femme a caché son visage avec un petit foulard. Pas grave, j'ai un deuxième plan!

Nous suivons le couple d'assez loin pour ne pas être repérés. Je vois une limousine au loin avec leur chauffeur. Je demande à Paolo:

— As-tu déjà pris le temps de regarder une femme monter à bord de sa voiture?

— Dé quoi tou parles, Léo?

— Regarde-moi bien!

J'attends que le chauffeur descende du véhicule, puis je me faufile sur le côté de la voiture pour ouvrir délicatement la portière arrière sans que personne me voie et j'y fait monter Bijou. Au même moment, de l'autre côté, le chauffeur ouvre la portière à la femme. Elle glisse sa main en premier pour y déposer son sac, fait quelques sourires aux paparazzis dehors et elle entre dans la voiture. Entre-temps, Bijou a saisi le sac à main dans sa gueule et est ressorti de la voiture aussi discrètement qu'il y est entré.

Au moment où la femme constate qu'elle n'a plus son sac, nous sommes déjà loin, Bijou et moi. Je rigole. Elles sont toutes pareilles, les femmes ! Elles déposent toujours leur sac à main avant de monter en voiture.

Je m'arrête, satisfait, pour fouiller dans le sac et j'entends :

— Attention !

C'est la voix de Paolo ! Je me retourne et il y a des gardes qui courent vers moi !

— Ohhh ! Zut !

Je déguerpis le plus vite possible. Je cours comme je n'ai jamais couru, même dans le plus féroce des matchs de soccer. Bijou, poil au vent, me suit sans difficulté.

D'un coup, Paolo arrive de nulle part dans une voiture de luxe décapotable rouge. Il freine devant moi et me dit de monter.

— Où as-tu pris cette auto ? Elle est vraiment trop top, cette bagnole !

— Pas lé temps dé discuter, Léo. Monte !

Détrempé, je monte dans le premier taxi en direction de l'hôtel. C'est pratique pour payer un taxi, le sac à main d'une dame riche ! Je souffle sur mes lunettes, j'espère qu'elles ne sont pas brisées ! Je les porte à mon nez… Plus rien ne fonctionne. Nooooonnnnnnn !!! J'ai le goût de pleurer. Ah ! Et puis, allez, je pleure !

Je me ressaisis vite : ce n'est pas le temps de déprimer !

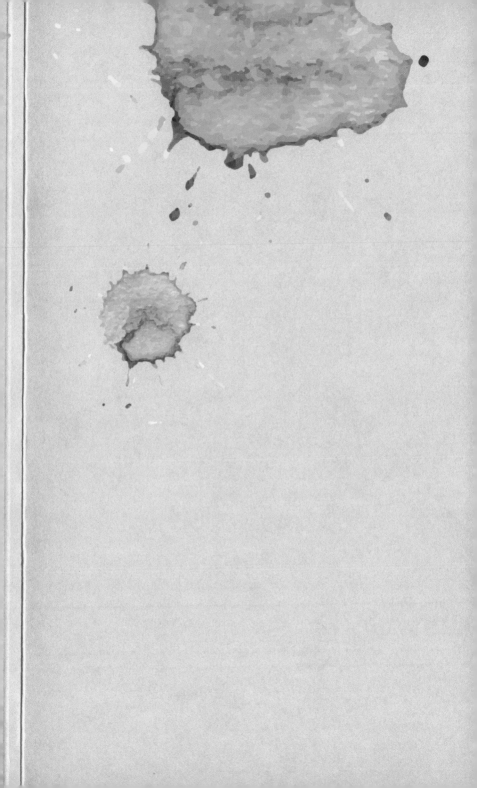

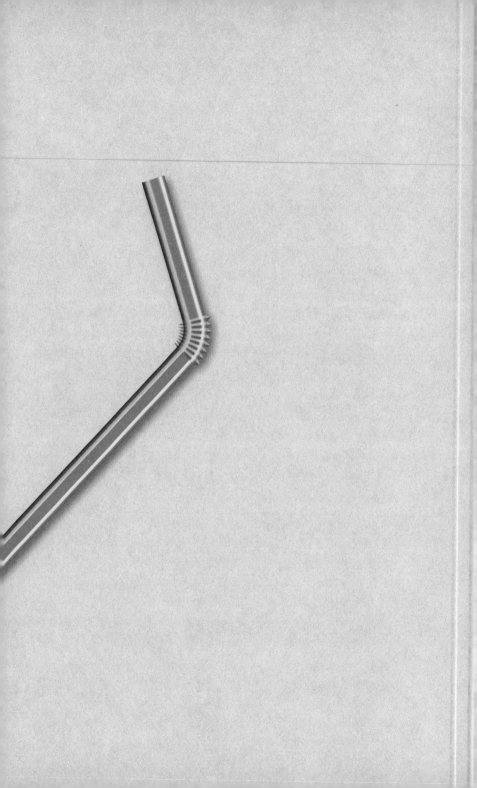

2 septembre
Rentrer juste à
temps pour souper.

**— Le dimanche 2 septembre,
72 jours après la disparition —**

En arrivant à l'hôtel, mouillé comme une poule, j'aperçois Paolo (confortablement au sec) qui sirote un verre dans le hall, l'air décontracté (comme toujours[10]). Comment il a fait? Il a un jumeau ou quoi?

— Viens cousin, allons à ta chambre. Il ne nous reste qu'une heure avant ton départ.

Dans la chambre, il sort un sac de riz sec.

— Mets tes lounettes là-dédans.

Je ne pose pas de questions et je le fais. Nous ouvrons le sac à main. Je trouve une carte d'identité :

10. — Tou as certainement déviné qué Carine s'est inspirée dé moi pour cé personnage !!!

CARTE D'IDENTITÉ N° 2587965412365

Nom : Senza Volto Milovitch

Prénom (s) : Maria

Sexe : F   Né(e) : 20.02.1961

Taille : 1,70

Signature du titulaire : *Maria Senza Volto Milovitch*

MRTTATAF<<<<<<<<<<<<<<<<<<< 135987

Avec un nom comme celui-là, on connaît rapidement tout l'alphabet ! Je relis le nom de famille. Milovitch... Ça ne peut pas être un hasard. Eurêka ! Mon petit doigt avait raison ! Milovitch, nous avons trouvé Milo ! Trois choix s'offrent à nous maintenant :

1. Alberto utilise le nom de sa femme (Milo) pour parier.
2. C'est la femme d'Alberto qui parie sous le nom de Milo.
3. Le couple travaille ensemble.

L'heure de mon vol de retour approche. Je pourrai terminer cette mission au Canada. Il ne faudrait pas que j'oublie que je commence l'école demain !

Heureusement, avec le décalage horaire, je quitte l'Italie en fin d'après-midi et j'arriverai pile pour le souper ! Nous prenons un taxi jusqu'à l'aéroport.

Je donne l'accolade à Paolo.

— Bon voyage, cousin !

— *Grazie*, Paolo !

— Quand tou rétrouvéras ton père, tou lé saloueras dé ma part.

Il me tend le sac de riz avec mes lunettes à l'intérieur. Pendant un moment, j'ai la ferme impression que je le retrouverai bientôt !

— Promis.

Je saute la clôture de la piste d'atterrissage et je me glisse dans le chariot à bagages. Un autre long voyage glacial m'attend, sans hôtesse de l'air pour m'apporter un petit sac de bretzels !

***

Je rentre à la maison plus exténué qu'une grand-mère au sommet de l'Everest. Ma mère me reproche :

— Tu as donc bien l'air fatigué ? ! Veux-tu me dire ce que tu as fait en fin de semaine ?

Je suis heureux de retrouver ma mère à son naturel plus autoritaire, mais j'aimerais franchement mieux éviter de répondre à cette question !

— Bah, Sam et moi, on s'est couchés tard.

— Pas vraiment brillant, tu commences l'école demain ! En passant, tu as laissé ton cellulaire ici toute la fin de semaine !

— Et ?

— Et j'ai essayé de te joindre...

— T'avais juste à appeler chez Sam, lui dis-je en espérant qu'elle ne l'a pas fait...

— C'est ce que j'ai fait !

Zut !

— ... Mais il n'y avait personne.

— On devait être dehors.

Voyons, quelle mouche l'a piquée, elle? Je hausse les épaules et je me dirige vers ma chambre. Cette fois, c'est moi qui n'ai pas la force d'argumenter. Je prends mon assiette et dis :

— Je mange dans ma chambre.

En montant l'escalier, j'entends ma mère dire :

— Ça va, il est là.

Mais à qui parle-t-elle? Bah! Probablement à Bijou, c'est le seul qui a toute sa tête ici!

Je prends mon téléphone : bizarre, je n'ai reçu aucun appel, aucun message texte. Elle a essayé de me joindre comment? Elle devient dingue ou quoi?

Je mange quelques bouchées, je me couche sur mon lit et je m'endors.

**

J'ouvre les yeux : il est 21 heures. Je bondis hors des couvertures. Je ne voulais pas dormir aussi longtemps, je dois absolument aller au bureau ce soir. J'ouvre ma porte de chambre, ma mère semble déjà couchée. Je sors discrètement par la fenêtre, j'enfourche mon vélo et je fonce.

Assis au bureau de mon père, je me frotte les yeux pour tenter de m'éclaircir les idées. Qui est cette Maria Senza Volto Milovitch et pourquoi ai-je encore cette impression de l'avoir déjà rencontrée? J'ouvre le dossier de ma première enquête. Je regarde les photos que j'avais discrètement prises lors de la soirée des mondaines humaines. Eurêka! Je savais que je l'avais déjà vue quelque part. Maria Senza Volto Milovitch fait partie des mondaines humaines, les amies de Mme Labonté! Ça ne peut pas être un hasard! Le collier volé de la précédente enquête s'est bizarrement retrouvé à cette soirée et voilà que la femme du plus grand fraudeur de course automobile y était aussi. Il y a des choses pas nettes chez les mondaines humaines.

Je rédige mon rapport d'enquête que j'envoie à Gaston Bauchard, le président de la F1. Je mets le dossier dans « Enquêtes résolues » et j'éteins la lumière. Je commence le secondaire dans moins de huit heures, je dois rentrer et essayer de dormir.

TOP SECRET

Je suis au milieu d'un champ. Ma mère est derrière moi. À ses côtés, des hommes vêtus d'un complet blanc et d'un chapeau melon me regardent sans émotion. Elle me donne une assiette de crêpes.

— Va porter ça à ton père dans la tente, m'ordonne-t-elle.

Je me retourne. Il y a des centaines de tentes installées dans tout le champ. Avant que je demande à ma mère de quelle tente elle parle, elle a disparu. Je crie :

— PAPA !

J'entends :

— Ici !

Je cours, j'ouvre la première tente. Sam et Laurie sont là. Laurie me sourit, Sam grogne :

— Tu dois toujours être le meilleur, toi !

Je referme la tente.

— PAPA !

— Ici !

Je cours ouvrir une autre tente dans laquelle je trouve Antoine qui compte des tonnes de billets de banque.

— Eh, cousin ! J'ai parié sur toi et j'ai gagné !

Je me retourne et je crie :

— Papa !

— Ici !

Je circule entre les tentes. Mon oncle Stéphane arrive en courant avec une tenue de sport ridiculement trop petite, trop colorée, et il porte des talons hauts ! Couvert de sueur, il me défie :

— Est-ce qu'on fait la course ?

— Mon oncle, qu'est-ce que tu fais avec des talons hauts ?

Il met sa main sur son front pour regarder à l'horizon.

— C'est pour mieux voir mon enfant, c'est pour mieux voir !

— Pour voir quoi, mon oncle ?

Ma mère réapparaît et me souffle à l'oreille :

— Pour voir ça.

Elle prend l'assiette de crêpes que j'ai dans les mains et la pose sur le sol. Elle met son doigt sur sa bouche :

— Chutttt.

Elle cache ses yeux. D'un coup, mon père bondit de nulle part. Il porte des collants verts. Il s'empare de l'assiette en criant et il repart aussi habilement qu'il est arrivé. Ma mère retire ses mains de son visage, elle a d'énormes yeux de chat. Je hurle. Une gigantesque vague arrive au bout du champ. Je n'ai pas le temps de me mettre à courir qu'elle m'emporte. J'essaie de nager, mais je n'y arrive pas, quelque chose me tire vers le fond. Je n'arrive plus à respirer. J'avale de l'eau, trop d'eau. Je panique. J'avale encore de l'eau !

Je me réveille dans une inspiration de survie !

Il est trois heures du matin. Je mets une bonne heure à me rendormir.

**— Le lundi 3 septembre,
73 jours après la disparition —**

Il me semble que je viens de fermer les yeux et c'est déjà le matin. Je me sors péniblement du lit. Je vais dans la douche pour tenter de me réveiller. Je mange rapidement le déjeuner que ma mère m'a cuisiné, puis je reviens dans ma chambre pour me préparer.

En prenant mon téléphone, je m'aperçois que j'ai reçu un texto de Laurie :

> J'ai une bonne nouvelle pour toi ! Je te raconte ça à l'école aujourd'hui ! A+

Espérons qu'elle a réussi à relever les empreintes de Mme Labonté.

Avant de partir pour l'école, je regarde les courriels de Léo P.

Le premier est du président de la Formule 1, Gaston Bauchard :

De :	Gaston Bauchard
À :	Léo P.
Cc :	
Objet :	Remerciements

Merci Monsieur Léo P. pour cette enquête que vous avez brillamment menée. Comme convenu, votre travail est bénévole et je vous en suis fort reconnaissant. La supercherie de Milo a été mise au grand jour; il payait de jeunes pilotes qui acceptaient de faire gagner les autres voitures (celles qu'il choisissait). Puis, il pariait un énorme montant sur la voiture de son choix. Ainsi il remportait tout un magot! Mais grâce à vous, son règne est terminé.

Le dossier est maintenant entre les mains des autorités italiennes qui ne manqueront pas de lui faire payer sa supercherie.

Encore une fois merci, et bonne journée!

Gaston Bauchard

Je suis heureux que cette histoire soit terminée. J'efface toute trace de ce message, on n'est jamais trop prudent, surtout avec ce que mon père m'a conseillé. Encore une fois, je me demande bien pourquoi mon père travaillait gratuitement ! Le deuxième courriel est de Mme Labonté :

De :   Mme Labonté

À :   Léo P.

Cc :

Objet :   Re: Rencontre donateur

Bonjour Monsieur Léo P.
Vous m'aviez demandé de vous informer de ma prochaine rencontre avec le donateur anonyme. Ce sera bientôt, vous aurez plus de détails dans les jours à venir.

Mme Labonté

Je l'avais presque oublié, lui ! Lors de ma dernière enquête, Mme Labonté m'avait mentionné que le collier volé lui avait été offert par un donateur anonyme qui se présente toujours à elle avec un masque. Voilà l'occasion d'élucider un autre mystère ! Je clique pour répondre et, bizarrement, un message d'erreur s'affiche. Je vérifie : le message a disparu de ma boîte de courriels. Il n'est ni dans mes nouveaux messages ni dans la corbeille... Je ne suis quand même pas arrivé au point où j'hallucine des messages ! J'espère que je n'ai pas fait une gaffe en utilisant mon courriel même si mon père me l'avait déconseillé.

Je prends le risque de lire mon dernier message. Il est du Grand Prix d'Italie… Encore ! C'est une fois de plus le président, ou quoi ? Je l'ouvre. C'est une lettre officielle qui m'annonce que j'ai gagné deux millions de dollars à la dernière course !

Je n'ai même pas parié ! Je continue ma lecture : l'argent a été déposé dans le compte 098 090 822. C'est le compte secret que mon père m'a ouvert ! Personne ne connaît l'existence de ce compte sauf mon père. Est-ce que mon père était en Italie ? J'ai le goût de pleurer juste d'y penser.

À moins qu'il ne s'agisse de la personne venue à la banque ouvrir mon compte au nom de mon père. Les fameuses empreintes digitales que je n'ai pas encore réussi à identifier… C'est trop… Mais si je comprends bien, je suis maintenant millionnaire !? Et où est la lettre de mon père pour me rassurer ? Normalement, chaque surprise s'accompagne d'une lettre.

— Léooooo ! Tu vas être en retard à l'école ! m'avertit ma mère.

Rapidement, je sors mes lunettes du sac de riz. Génial ! Elles fonctionnent. Je prends mon sac d'école, puis je ferme mon ordinateur.

Je suis Léo P. détective privé, j'ai douze ans et je suis maintenant millionnaire. C'est aujourd'hui que je commence le secondaire et, bientôt, je retrouverai mon père ! Parole de Léo P., détective privé !

À suivre[11]…

---

11. **Freg :** — Carine, qu'est-ce que tu fais ?
Carine : — Je cours écrire le tome 3 !

Suivez-nous sur le Web

Consultez nos sites Internet et inscrivez-vous à l'infolettre pour rester informé en tout temps de nos publications et de nos concours en ligne. Et croisez aussi vos auteurs préférés et notre équipe sur nos blogues !

EDITIONS-PETITHOMME.COM
EDITIONS-HOMME.COM
EDITIONS-JOUR.COM
EDITIONS-LAGRIFFE.COM

Cet ouvrage a été achevé d'imprimer sur les presses
d'Imprimerie Transcontinental, Beauceville, Canada